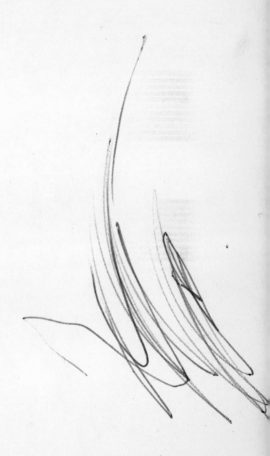

Autobiografía de un Hombre Feliz

«Historia de una vida
basada en principios de éxito»

Benjamín Franklin

Autobiografía de
un Hombre Feliz

Editorial Taller del Éxito
1700 NW 65th Ave., Suite 8
Plantation, Florida 33313
Estados Unidos
Teléfonos:
1+(954)3215560
1-800-SI-ÉXITO (7439486)
Fax: 1+(954)3215422
www.tallerdelexito.com
info@tallerdelexito.com

Editorial dedicada a la difusión de libros y audiolibros de desarrollo personal, crecimiento personal, liderazgo y motivación.

ISBN: 1-931059-50-0

Printed in Colombia
Impreso en Colombia

4ª Edición, septiembre de 2006

PRÓLOGO

$\mathcal{S}$iempre he creído que el éxito deja huellas. Si deseamos triunfar en un área determinada sólo basta con estudiar la vida de alguien que haya triunfado en esa misma área para descubrir aquello que ha sido responsable por su éxito. Una vez hayamos hecho esto, el siguiente paso consiste en implementar estas mismas ideas en nuestros propios planes de éxito. Es por esta razón que siempre he sido un apasionado lector de las biografías y particularmente de las autobiografías.

Entre todas las biografías que he tenido la oportunidad de leer ninguna ha impactado mi manera de ser y actuar en lo personal y profesional como lo ha hecho la de Benjamín Franklin.

Franklin fue un enamorado de la vida y la aventura, y su optimismo y sentido del humor daban siempre muestra de ello. Franklin es conocido por ser uno de los promotores de la independencia de los Estados Unidos. A pesar de esto, no tuvo ambiciones políticas. Nunca hizo campaña, ni aspiró a ninguna posición política. No obstante, su contribución a la causa de la guerra de la independencia estadounidense y su trabajo posterior con las primeras presidencias de la naciente república, le situaron entre los más grandes estadistas del país. Sin embargo, Franklin fue un hombre de múltiples intereses. Fue inventor, científico, escritor, editor e impresor, líder cívico, filósofo y filántropo.

Sus trabajos científicos y sus contribuciones a la ciencia experimental, le ganaron varios títulos honorarios de las universidades de Saint Andrews y Oxford. También fue elegido miembro de la Sociedad Real de Londres, la más alta organización científica de ese país. Su más famoso experimento fue el de la llave atada a la cuerda de una cometa que realizó para estudiar la naturaleza de la electricidad. Franklin fue el principal seguidor de los postulados de Isaac Newton en América y su teoría sobre la electricidad se basó en la noción newtoniana de la repulsión mutua de las partículas.

Estos experimentos lo condujeron a inventar el pararrayos y la estufa de hierro, que producía más calor con menos combustible; a desarrollar métodos para mejorar la pavimentación e iluminación de las calles y a idear sistemas para controlar el exceso de humo de las chimeneas.

Franklin ejerció también gran influencia en el campo de la educación, siendo determinantes sus escritos para la fundación de la Academia Filadelfia, que más tarde se convertiría en la Universidad de Pensilvania. Además fundó la que probablemente fue la primera biblioteca pública de Norteamérica, inaugurada en 1742 con el nombre de Biblioteca de Filadelfia.

También se desempeñó en el campo periodístico y fundó la Gaceta de Filadelfia. En fin, fue un hombre de muchos intereses, que buscó cosechar éxitos para su propio beneficio, pero también para el beneficio de los demás.

Sin embargo, lo más interesante de su legado es lo referente a la ética y la superación personal. De hecho, una buena parte de este libro es una indagación sobre la virtud humana. Desde esta perspectiva, su autobiografía es la obra de una persona que busca desentrañar los valores y actitudes que transforman al ser humano en algo más que un simple ente biológico. Siempre interesado en vivir su vida basada en principios y valores sólidos, sus logros muestran cómo al tomar el tiempo para identificar los valores que deseamos que guíen nuestra vida, al definirlos claramente, interiorizarlos y asegurarnos que nuestras acciones son congruentes con estos principios, son el camino a una vida productiva, llena de logros, de felicidad y de éxito.

Pero esto no es todo, estas páginas también pueden leerse como una especie de manual para empresarios. Una de sus mayores preocupaciones fue utilizar la industria y el comercio como herramientas para la libertad y el desarrollo de las personas y las naciones. Este interés lo llevó a formar parte de la asamblea general de Pensilvania, a ser nombrado administrador de Correos de Filadelfia y a organizar la primera compañía de seguros contra incendios de la ciudad.

Franklin solía decir: "Si en verdad amas la vida no derroches tu tiempo, porque el tiempo es la materia prima de la cual la vida está hecha". Indudablemente, su vida fue un tributo a este ideal. No en vano, una buena parte de este libro está dedicado a explorar los métodos para convertir las virtudes en actos cotidianos, logrando así una mejor administración del tiempo. Al igual que Franklin, yo también he comprendido que el tiempo es la vida misma, que es irreversible e irremplazable.

Pero su historia no fue un éxito desde el principio. Su vida se había visto plagada de frustraciones y sueños fallidos como resultado de los errores y falsas creencias de su juventud. Cuando estaba cerca a sus 30 años de edad, en uno de esos momentos de profunda reflexión, se dio cuenta de la falta de dirección que había en su vida. Armado de valor y decisión, inició este proceso de autoanálisis. Comenzó a pensar acerca de sus metas, acerca de la necesidad de romper con viejos hábitos que le estaban deteniendo de alcanzar sus verdadero potencial y acerca de la necesidad de crear nuevos hábitos de éxito.

Él comprendió que si de verdad deseaba realizar un cambio profundo en sí mismo y en el mundo que lo rodeaba, como él ya lo sentía internamente, entonces debía buscar que en su vida existiera un estado de mayor correspondencia entre sus acciones, sus hábitos y actividades diarias y los valores que él sabía que debían guiar su vida.

En su afán por lograr una mayor claridad acerca de los valores y virtudes que le ayudaran a vivir una vida balanceada, plena y feliz, resolvió identificar las muchas virtudes que debían proveer dirección a su vida y se dio a la tarea de definirlas en pocas palabras, en términos precisos, evitando las definiciones demasiado amplias y confusas. Franklin buscó adquirir cada una de las virtudes anotadas, una por una, y mantuvo notas diarias acerca de su progreso en esta tarea. Este hábito de la auto evaluación se convirtió en un compromiso que perduró hasta el final de sus días.

Ciertamente, Benjamín Franklin fue una persona feliz. Este hombre que de niño se enseñó él mismo a leer, al tiempo que aprendió, mantuvo su pasión por los libros, un amorío con la lectura y el lenguaje que nunca terminó. A los 63 años comenzó a estudiar idiomas, llegando a dominar el francés, el italiano, el latín y el español, el cual llegó a aprender con la suficiente fluidez como para poder leer libros enteros con una gran facilidad.

En cierta ocasión expresó que debía su felicidad a la filosofía que él mismo había formulado medio siglo atrás, la cual resumió en las siguientes palabras: «El mejor servicio que podemos prestar a Dios es hacerle el bien a los demás», y Franklin utilizó su interminable energía, su juicio, sentido común, tacto y pulso literario en hacer esto de todas las maneras posibles. Su vida fue un testimonio de amor al servicio. Servicio en pos de su éxito personal, servicio a su comunidad, a su país y al mundo entero.

Como escritor, dos de las virtudes que más he aprendido a apreciar acerca de este gran hombre son su extraordinaria perspicacia y su sentido del humor. Franklin enseñaba utilizando metáforas, fábulas o historias que buscaban hacernos reflexionar sobre lo absurdo o contradictorio de ciertas acciones o situaciones.

El epitafio que aparece en la tumba de Franklin, el cual fue escrito por él mismo en 1728, cuando contaba con 22 años de edad, es muestra de esta sutileza en su manera de escribir, que busca siempre dejar una enseñanza.

Epitafio:

El cuerpo de
Benjamín Franklin
Impresor
(Al igual que la cubierta de un viejo libro,
sus paginas destrozadas y sus letras borrosas)
yace aquí, como comida para los gusanos.
Pero el trabajo en sí no se ha perdido
porque aparecerá (como él lo creía)
una vez más, en una edición
más elegante, revisada
y corregida por el autor

He querido incluir en este prólogo tres crónicas escritas por Franklin que me han impresionado por la sencillez de su lenguaje y la profundidad de su mensaje. Espero que las disfruten.

La corneta

En mi opinión, todos podríamos sacar más provecho de esta vida y sufrir menos, si tan solo nos aseguráramos de no pagar demasiado por las cornetas que compramos. Siempre me ha parecido que el infortunio de todas las personas infelices que he conocido ha sido el resultado de no prestar suficiente atención a este asunto.

Seguramente usted se estará preguntado que quiero decir con esto. Si le gustan las historias permítame contarle una.

Cuando yo era un niño de tan solo siete años de edad, en una fiesta, mis amigos me regalaron algunas monedas. Tan pronto como recibí aquel dinero, me dirigí a una tienda de juguetes donde me cautivó el sonido de la corneta con que jugaba un niño. Sin pensarlo mucho decidí ofrecerle todas mis monedas a cambio de ella. Cuando regresé a casa, tocaba orgullosamente mi corneta por todo lado, para deleite mío y tortura de los demás.

Al enterarse del precio que había pagado por aquella corneta, mis hermanos y mis primos, me dijeron que había dado cuatro veces más de lo que en realidad valía aquel juguete. Ellos se encargaron de recordarme una y otra vez de todo aquello que hubiese podido comprar con el resto del dinero; tanto se burlaron de mi decisión, que lloré amargamente y el recuerdo de mi error me produjo más dolor que el placer que me produjo jugar con mi corneta.

Por supuesto esta fue una lección que a la postre me sirvió mucho en la vida. Tanto así que de ahí en adelante cada vez que me sentía tentado a comprar alguna cosa innecesaria, me repetía a mí mismo, "no vayas a pagar demasiado por esa corneta" y esta reflexión me ayudaba a ahorrar mi dinero. En la medida en que conocí más el mundo, y observé las decisiones de otras personas, me pude dar cuenta cómo muchas de ellas indudablemente habían pagado demasiado por sus cornetas.

En cierta ocasión, por ejemplo, encontré una persona tan ansiosa de ganarse el favor y aprecio de la corte, que malgastaba su tiempo asistiendo a los tribunales, sacrificando sus opiniones, su libertad, sus virtudes y hasta sus amigos para lograr su cometido. Recuerdo haberme dicho a mí mismo: "Este hombre, sin duda está pagando demasiado por su corneta"

Más adelante, observé a otra persona tan anhelosa de ser popular, que constantemente se involucraba en todo tipo de comités y manifestaciones políticas con el ánimo de ganar notoriedad. Este hombre descuidaba tanto sus negocios y asuntos personales, que llegó a la ruina como resultado de la negligencia. "Indudablemente," -pensé yo- "este hombre, está pagando un alto precio por su corneta."

Recuerdo haber conocido a un francés que renuncio a toda comodidad personal, al placer de servir a otros y al aprecio de sus conocidos, todo en pos de acumular más y más riquezas materiales. "Pobre hombre," –pensé- "no se da cuenta que está pagando demasiado por su corneta."

En otra ocasión conocí a un hombre totalmente entregado a los goces simples y frívolos, descuidando el desarrollo de su mente. Sacrificaba su fortuna y su salud por su entrega a la búsqueda de satisfacer placeres mundanos. "Que equivocado está," dije yo, "provocándose a sí mismo dolor en lugar de placer, y pagando tanto por su corneta."

Si veo una persona que para vestir ropas finas, poseer una casa costosa, finos muebles y vivir una vida ostentosa, adquiere grandes deudas y termina en prisión por no poder responder a sus obligaciones, inmediatamente pienso, "pobre hombre, éste sí pagó un precio demasiado alto por su corneta."

Cuando veo a una hermosa mujer, noble y de buen temperamento, que ha escogido casarse con un hombre rufián, sin modales y lleno de vicios, digo "qué tristeza, que ella haya elegido pagar tanto por su corneta."

Así que como ve, yo creo que gran parte de las miserias de la humanidad han sido el resultado de la pobre manera como calculamos el verdadero valor de las cosas, lo que hace que en muchas ocasiones terminemos pagando demasiado por nuestra corneta.

Las enseñanzas del juego de ajedrez

El juego de ajedrez no es simplemente un juego para pasar el tiempo. De él podemos aprender valiosas lecciones que nos pueden ayudar a vivir una mejor vida. Muchas de estas lecciones nos pueden ayudar a desarrollar o fortalecer hábitos que nos traerán grandes beneficios. Porque la vida se asemeja mucho a un juego de ajedrez. Con frecuencia en ella buscamos ganar, en ella existe la competencia, encontramos contendores que debemos enfrentar, y se encuentra una amplia variedad de bondad y maldad asociada con los eventos que ocurren. Entonces, el juego de ajedrez nos enseña a desarrollar:

1. Visión. El ajedrez nos enseña a mirar hacia al futuro y examinar cuidadosamente las consecuencias de nuestras acciones. El jugador siempre debe pensar, "si realizo este movimiento, ¿cuáles serán las ventajas o desventajas de mi nueva posición?" "¿Podrá mi adversario tomar alguna ventaja de este movimiento para atacarme?" "¿Qué otros movimientos podré realizar después para contrarrestar sus acciones?"

2. Atención. Es vital prestar atención no sólo a la próxima jugada, sino a todo el tablero. Debemos siempre examinar cuidadosamente la relación que existe entre las diferentes piezas y su posición en el tablero; los peligros a los que puedan estar expuestas y las diversas posibilidades en que pueden ser de mutua ayuda. De igual manera, debemos prestar atención a las piezas de nuestro adversario, de manera que podamos prever sus posibles movimientos. Necesitamos prestar atención a cómo podemos atacar sus piezas, evitar sus ataques, y utilizar sus debilidades a nuestro favor.

3. Cuidado. En necesario aprender a no realizar nuestros movimientos apresuradamente. Es fácil desa-

rrollar este hábito obedeciendo estrictamente las reglas del juego. Por ejemplo, *una vez toque una pieza debe moverla y una vez coloque la pieza en el tablero, debe dejarla donde la puso y no puede cambiarla.* Que bueno que existan estas reglas y que deban ser obedecidas ya que entonces el juego de ajedrez se asemeja mucho más al juego de la vida y particularmente a la guerra. En la guerra, por ejemplo, si usted descuidadamente se ha colocado en una posición vulnerable y peligrosa, no podrá pedirle a su enemigo que le otorgue la bondad de retirar sus tropas y pensar nuevamente un ataque desde una posición más segura. Usted deberá pagar las terribles consecuencias de haber actuado apresuradamente.

Finalmente, algo más que aprendemos con el juego de ajedrez es a no desanimarnos demasiado rápido por el estado de nuestras circunstancias presentes. También aprendemos a perseverar y a buscar continuamente nuevos recursos y caminos posibles.

Reglas para convertirnos en compañía indeseada y desagradable

Puesto que el objetivo es brillar siempre que se encuentre en compañía de otras personas, usted deberá utilizar todo medio a su alcance para evitar que otra persona brille más que usted. Esto lo podrá lograr de varias maneras:

1. Si le es posible, busque apoderarse de toda la conversación. Si el tema en cuestión no le es familiar,

hable lo que más pueda acerca de usted, de su educación, conocimientos, logros, éxito en los negocios, o las sabias observaciones y apuntes que ha hecho en otras ocasiones.

2. Si le toca dejar de hablar unos segundos para tomar aire, y en ese momento alguien más aprovechara a decir algo, analice con cuidado cada palabra, idea o actitud en su intervención, en busca de algún punto que le permita contradecirlo. Si no encuentra nada, corrija su manera de hablar o su vocabulario.

3. Si encuentra que otra persona ha dicho algo que es indiscutiblemente cierto y sabio, puede hacer una de varias cosas: No le preste atención alguna, interrúmpala, o busque desviar la atención de los demás hacia usted. Si logra descubrir hacia dónde va ella con dicha idea, busque rápidamente cualquier oportunidad de terminar la idea antes que ella. Si todo lo anterior falla y ve que dicha idea ha contado con la aprobación de los presentes, apresúrese a dar usted también su aprobación, e inmediatamente haga la anotación que dicha idea es de Bacon, Locke, Bayle, u otro gran escritor. De esta manera se asegurará de privar al otro de la reputación o prestigio que hubiese podido ganar con dicha idea, al tiempo que logra ganar usted la reputación de ser una persona leída e instruida.

4. El actuar de esta manera le asegurará que cuando esté en presencia de alguna de estas personas

nuevamente, ellas optarán por quedarse calladas y dejar que usted hable. Así podrá usted brillar sin ninguna oposición ni competencia, al tiempo que le muestra a sus oyentes lo poco versados que ellos son.

Si sigue estos consejos podrá estar seguro que se sentirá usted muy bien con usted mismo, sin importar como se sientan los demás. Las ventajas de esto son muy evidentes, mientras que la audiencia aprecia la presencia del hombre culto y afable, usted ni siquiera necesita hacer acto de presencia, ya que esta misma audiencia le apreciará mucho más cuando usted esté ausente.

**

Después de esta breve sinopsis de la vida de uno de los hombres más polifacéticos de nuestros continente, dejemos que sea el propio Franklin quien nos lleve de la mano por una época que, aunque distante, no es muy distinta de la que nos ha tocado vivir. Permitamos que sean sus vivencias las que nos muestren cómo fue que este hombre logró aprender las invaluables lecciones sobre el éxito y la felicidad, que hoy pueden servirnos de referencia para nuestro propio plan de éxito. Espero que disfrutes esta autobiografía de una de las mentes más brillantes de nuestra historia, y que ella te sirva de inspiración y guía para vivir una vida plena y feliz.

CAMILO CRUZ, PH.D.

CAPÍTULO I

Los orígenes de la felicidad –Twyford, 1771

Querido hijo, siempre me ha dado gusto conocer anécdotas de mis antepasados. Recordarás las pesquisas que llevé a cabo entre mis parientes cuando fuiste conmigo a Inglaterra, durante el viaje que realizamos con ese propósito. Me imagino que ahora te será igualmente grato enterarte de las circunstancias de mi vida, muchas de las cuales te son desconocidas. Ahora que cuento con una semana entera de descanso sin interrupciones, en mi casa de campo, me dispongo a hacerte el relato de ellas. Sin embargo, algunas otras consideraciones también me llevan a escribir esta narración.

De la pobreza y la oscuridad en que nací y pasé mi infancia, logré elevarme hasta alcanzar cierto prestigio y una posición de influencia en el mundo. Efectivamente, en mi paso por la vida he disfrutado de una porción considerable de felicidad. Gracias a la bendición de Dios, y a que los medios de que me valí para alcanzarla dieron tan buen resultado, puedo pensar que la posteridad querrá conocerlos; algunos podrán aprovecharlos en situaciones personales y, por lo tanto, pueden brindar un ejemplo adecuado. Semejante fortuna –cuando reflexiono en ella- me ha llevado a afirmar, a veces, que si estuviera en mí decidir, no tendría ningún reparo en repetir la misma vida desde el principio.

Sólo pediría esa ventaja que se concede a los autores en segundas ediciones: poder corregir algún error. Eso haría si pudiera: además de corregir los errores, cambiaría algunos accidentes y acontecimientos siniestros por otros más favorables; pero, incluso si esta opción me fuera negada, aceptaría la oportunidad de volver a vivir mi vida.

Sin embargo, ya que no se puede esperar una repetición, lo que más se parece a vivir otra vez la propia vida es recordarla y, para que este recuerdo sea lo más perdurable posible, lo mejor es fijarlo por escrito. Así que voy a permitirme esa inclinación, tan natural en las personas mayores, a hablar de sí mismas y de sus acciones pasadas. Y voy a permitírmela sin que me preocupe molestar a quienes, por respeto a la vejez, pudieran sentirse obligados a ponerme atención. Con un escrito uno puede decidir si lo lee o no.

Por último (más me vale confesarlo, ya que si lo niego nadie me va a creer), es posible que esto signifique una gran satisfacción para mi vanidad. Ciertamente, cada vez que escucho o veo las palabras introductorias "Sin vanidad puedo decir..., etc." Siento en seguida que en esto hay algo vano. A la mayoría de la gente le disgusta la vanidad de los otros, no importa cuánta tengan ellos mismos. Pero yo trato de verla en su justa medida, convencido como estoy de que con frecuencia trae el bien, no sólo para quien la posee, sino también para otros que se encuentran bajo la influencia de éste. Por lo tanto, en muchos casos, no sería del todo absurdo que un hombre le diera gracias a Dios por su vanidad, entre las otras comodidades de la vida.

Y ahora que hablo de Dios, deseo con toda humildad, reconocer que debo a su amable Providencia la felicidad de mi pasado, la cual me condujo al éxito dándome los medios para alcanzarlo. La creencia en esto me lleva a *esperar*, aunque no debo *presumir*, que esta misma bondad me permitirá seguir siendo feliz, o me dará fuerzas para soportar cualquier otro revés fatal, puesto que ya los he tenido como mucha gente. La consumación de mi suerte futura sólo Él la conoce; en su Poder está bendecirme aún en mis tribulaciones.

Las anotaciones que uno de mis tíos (quien tenía la misma curiosidad que yo en coleccionar anécdotas familiares) puso en mis manos alguna vez, me pusieron en conocimiento de algunos detalles relacionados con mis antepasados. Gracias a estas anotaciones, sé que nuestra familia había vivido en la misma población –Ecton, en Northamptonshire- durante 300 años. Por el registro parroquial, descubrí que soy el hijo menor del hijo menor a lo largo de cinco generaciones.

Mi abuelo Thomas, quien nació en 1598, vivió en Ecton hasta que se sintió demasiado viejo para seguir en los negocios. Entonces se fue a vivir con su hijo John, un tintorero de Branbury, en Oxfordshire, con quien mi padre estaba como aprendiz. Mi abuelo murió y yace enterrado en este lugar. En 1758 vimos su tumba. Su primogénito, Thomas, vivía en la casa de Ecton, y le dejó ésta, junto con las tierras, a su única hija, quien, en sociedad con su esposo, la vendió. Mi abuelo tenía cuatro hijos: Thomas, John, Benjamín y Josiah.

Thomas era herrero, como su padre, pero poseía inteligencia y le gustaba aprender. Por ello, se convirtió en escribano. Llegó a ser un hombre importante en los asuntos del condado. Murió el 6 de enero de 1702, según el calendario juliano, exactamente cuatro años y un día antes de que yo naciera. Son sorprendentes las semejanzas entre su carácter, tal como lo recuerdan los viejos de Ecton, y el mío. Si hubiera muerto exactamente en la misma fecha, podría pensarse en la reencarnación de las almas.

John, como ya dije, era entonces tintorero, específicamente teñidor de lana. Benjamín era teñidor de sedas, oficio que había aprendido en Londres. Era un hombre inteligente; lo recuerdo bien porque cuando yo era niño vino a visitarnos a Boston y se quedó a vivir en la casa algunos años. Llegó a una vejez avanzada. Su nieto, Samuel Franklin, vive en Boston. Dejó dos manuscritos en cuarto de su propia poesía, la cual consiste en breves piezas ocasionales dirigidas a sus amigos y parientes. Inventó una caligrafía propia y me la enseñó, pero como nunca la practico, la he olvidado. Me pusieron el nombre de este tío porque él y mi padre se tenían un afecto especial. Él era muy religioso y le gustaba escuchar los sermones de los mejores predicadores, los cuales copiaba con su caligrafía propia, hasta que llegó a acumular varios volúmenes. También tenía mucho de político, quizá demasiado para sus circunstancias. De él llegó a mis manos una colección que había hecho de los principales panfletos relativos a asuntos públicos, desde 1641 hasta 1717.

Esta oscura familia nuestra fue de las primeras en convertirse a la Reforma, y siguió siendo protestante durante el reinado de María, cuando nuestros antepasados se vieron en peligro por su celo contra el papado. Tenían una Biblia protestante y, a fin de ocultarla y mantenerla segura, la habían pegado con cintas debajo de un asiento. Cuando mi tatarabuelo se la leía a su familia, volteaba el asiento completo y se lo ponía en las rodillas. Uno de sus hijos se quedaba en la puerta, encargado de dar aviso si veía venir a algún funcionario del Tribunal Espiritual. En tal caso, sólo había que voltear otra vez el asiento y la Biblia quedaba tan escondida como antes. Esta historia me la contó el tío Benjamín. Al final del reinado de Carlos II, la familia se dividió en anglicanos y episcopalistas.

Josiah, mi padre, se casó joven y se fue con su esposa y sus tres hijos a Nueva Inglaterra, alrededor de 1682. La ley había prohibido los conventículos y frecuentemente los hostilizaba. Esto indujo a emigrar a varios hombres importantes. Mi padre los acompañó. Esperaban que allá podrían practicar con libertad su religión. Con la misma esposa, mi padre tuvo otros cuatro hijos nacidos allí; luego se casó otra vez y tuvo diez hijos más. En total tuvo 17, de los cuales, en alguna época, 13 comían en su mesa. Todos llegaron a adultos y se casaron. Yo fui el menor de los varones y después de mí tuve dos hermanas. Nací en Boston, Nueva Inglaterra. Mi madre, segunda mujer de mi padre, se llamaba Abiah Folger y era hija de Peter Folger, uno de los primeros colonos de Nueva Inglaterra. De él hace honorable mención Cotton Mather, en su historia eclesiástica de ese país. Ciertamente, he oído que escribió algunas espléndidas piezas breves, aunque sólo una llegó a la imprenta. Fue escrita en 1675, a favor de la libertad de conciencia y en defensa de los bautistas, cuáqueros y otros sectarios que habían sufrido persecución.

Mis hermanos mayores entraron como aprendices en diferentes oficios. Yo entré a la escuela a los ocho años porque mi padre quería ofrecerme como diezmo al servicio de la iglesia. Mi precoz disposición para aprender a leer (cosa que debo haber hecho a muy temprana edad, pues ya no recuerdo cuando no sabía leer) y la opinión de los amigos de mi padre de que ciertamente llegaría a ser un hombre de luces, lo animaron todavía más en este propósito. Mi tío Benjamín también lo aprobó y propuso regalarme todos sus libros de caligrafía y sermones. Así que seguí en la escuela. De ser un estudiante medio, pronto me convertí en el mejor de la clase y mi padre me cambió al grado que seguía, del cual salté hasta el tercero para finales de año.

Pero mi padre, teniendo en cuenta lo cara que resultaba la educación superior y lo pobremente que vivían muchos hombres ilustrados, abandonó su intención original. Me sacó de la escuela y me mandó a una escuela técnica. Allí aprendí pronto todo lo que era de escritura, pero fracasé en las matemáticas y me quedé estancado.

A los diez años tuve que salirme para ayudarle a mi padre en el negocio, que era de hacer velas y jabones. Ya he dicho que él, originalmente, era teñidor, pero cuando llegó a Nueva Inglaterra decidió cambiar su oficio por otro más productivo, con el cual pudiera mantener a su numerosa familia. A mí me tocaba cortar los pabilos, llenar los moldes, atender la tienda, hacer mandados, etc.

El oficio me disgustaba y sentía una inclinación muy fuerte hacia el mar. Pero mi padre se declaró en contra de esto. Sin embargo, como vivíamos cerca del agua, yo estaba siempre en contacto con ella o cerca de ella; aprendí pronto a nadar y a tripular lanchas y, siempre que iba con otros muchachos en una de éstas o en una canoa, me tocaba dirigir, especialmente en casos de dificultad. También en otras circunstancias yo era el líder y a veces conduje a mis compañeros a hacer travesuras.

Mencionaré sólo una de ellas, ya que revela mi temprano interés en los proyectos públicos, aunque en esa ocasión no fue lo correcto. Había un pantano que rodeaba parte del molino de agua, en cuyas orillas íbamos a pescar. Como pasábamos mucho por ahí, con tantas pisadas se había hecho un lodazal. Mi propósito era construir un vado o un pequeño muelle que pudiera sernos útil para la pesca. Así que les mostré a mis amigos un montón de piedras con las cuales iba a construirse una casa cerca del pantano, y que sin duda nos servirían. Convoqué a varios amigos y en la noche, cuando ya los trabajadores se habían retirado, nos pusimos a trabajar con diligencia acarreando las piedras, a veces hasta dos o tres de nosotros para una sola, hasta que terminamos nuestro pequeño muelle.

A la mañana siguiente, los trabajadores se sorprendieron de no encontrar las piedras; fueron a hallarlas en nuestro muelle. Se hicieron averiguaciones, nos descubrieron y se quejaron con nuestros padres. A algunos nos corrigieron, aunque yo argumenté la utilidad de nuestra travesura. Mi padre me enseñó que nada que no sea honesto puede ser útil.

Mi padre era de excelente constitución corporal, de estatura media, bien proporcionado y muy fuerte. Era ingenioso, sabía dibujar y tenía habilidades musicales y buena voz, así que era muy grato escucharlo cuando se ponía a cantar y a tocar los salmos en su violín, cosa que le gustaba hacer en las noches, cuando ya había terminado sus negocios. También tenía ingenio para la mecánica y, cuando era necesario, podía usar con destreza herramientas de otros oficios.

Pero su don más grande se hallaba en su capacidad de comprender y hacer juicios sólidos en asuntos de prudencia, tanto en los asuntos privados como en los públicos. Nunca participó en estos últimos, debido a sus pesadas obligaciones familiares y a las limitaciones que éstas le imponían, pero recuerdo que con frecuencia lo visitaban personas encumbradas, que iban a pedirle su opinión sobre los asuntos del pueblo o de la iglesia y le tenían mucho respeto por sus juicios y consejos. También lo consultaban mucho para asuntos privados, cuando había dificultades. Entonces, él solía ser el árbitro entre las partes contendientes. Le gustaba invitar a su mesa, tan a menudo como era posible, a algún amigo o vecino sensato con quien pudiera conversar y, siempre, tenía cuidado de que se discutiera algún tema ingenioso o útil que redundara en el mejoramiento intelectual de sus hijos.

Por medio de esto, fue dirigiendo nuestra atención a lo que era bueno, justo y prudente en la vida. Poca o ninguna atención se prestaba a la comida en sí: si era de temporada, si estaba bien la guarnición, si tenía buen sabor, si era mejor o peor que alguna otra cosa del mismo tipo. Así me crié yo, con tanta falta de observación respecto a estos detalles, que soy totalmente indiferente a qué clase de comida me ponen enfrente. Y tan sigo siendo así que, hoy en día, apenas podría decir, a unas horas de la comida, qué fue lo que sirvieron. Esto me ha resultado muy conveniente cuando viajo, cuando los otros pasajeros se sienten muy infelices por falta de algo que se acomode a su apetito, más fino y educado que el mío.

Al igual que mi padre, mi madre tenía una excelente constitución. Ella misma amamantó a sus diez hijos. Yo nunca supe que ninguno de los dos tuviera alguna enfermedad, excepto aquella de la que fallecieron, él a los 89 y ella a los 85 años de edad. Están sepultados juntos en Boston, donde a los pocos años de la inhumación puse en su tumba una lápida de mármol con este epitafio:

Josiah Franklin y su mujer Abiah
yacen aquí sepultados.
Vivieron juntos, en amoroso concubinato,
cincuenta y cinco años.
Sin propiedades ni puestos lucrativos,
con un trabajo constante e industrioso,
y con la bendición de Dios mantuvieron
cómodamente una numerosa familia.
Criaron trece hijos y siete nietos honorables.

Que este ejemplo, lector, te sirva
de estímulo en tu camino
y no desconfíes de la Providencia.
Él fue un hombre religioso y prudente,
ella una mujer discreta y virtuosa.
El menor de sus hijos, en homenaje filial
a su memoria coloca esta lápida.
J.F., nació en 1655 y murió en 1744,
a la edad de 89 años.
A. F., nació en 1667 y murió en 1752,
a los 85 años.

En lo errático de mis pensamientos, me estoy dando cuenta de que he envejecido: antes escribía con más orden. Pero uno no se viste igual para una visita privada que para una fiesta pública. Así que tal vez sea sólo negligencia.

Volviendo a nuestro tema, seguí trabajando con mi padre uno o dos años, hasta que cumplí los doce. Mi hermano John, a quien habían educado para este oficio, dejó a mi padre, se casó y se estableció por su cuenta en Rhode Island. Según todas las apariencias, yo estaba destinado a ocupar su lugar y a convertirme en fabricante de velas.

Sin embargo, mi aversión por el oficio continuó, y mi padre comenzó a temer que, si no me encontraba una ocupación más grata, yo lo dejaría todo y me iría a la mar, como su hijo Josiah, para su gran desilusión, lo había hecho. Por eso a veces me llevaba con él a visitar ebanistas, ensambladores, ladrilleros, torneros, latoneros, etcétera. Trataba de observar mis inclinaciones y de atraerlas a algún oficio de tierra firme. Desde entonces, es un gusto para mi ver a los buenos artesanos empleando sus herramientas. Y me ha sido muy útil, habiendo aprendido tanto de ellos, para emprender pequeños trabajos en casa, cuando no podíamos encontrar un trabajador. También gracias a esto he construido algunas maquinillas para mis experimentos, mientras el propósito de experimento seguía fresco y cálido en mi mente.

Finalmente, mi padre me metió de cuchillero. Me mandó con Samuel, el hijo de mi tío Benjamín, quien había aprendido el oficio en Londres y estaba por establecerse en Boston. Pero sus expectativas de cobrar por mi instrucción disgustaron a mi padre, quien me regresó a la casa.

Desde niño me gustaba leer, y el poco dinero que me llegaba a las manos se me iba en libros. Como me había gustado *El progreso del peregrino,* mi primera colección fue la de las obras de John Bunyan en varios volúmenes pequeños. Después los vendí para poder comprarme las obras históricas de R. Burton. Eran libros baratos. La modesta biblioteca de mi padre consistía principalmente en libros de religión, la mayoría de los cuales yo ya había leído.

Con frecuencia he lamentado que, en una época en la que mi sed de conocimientos era tan grande, no se cruzaran en mi camino más libros. Allí estaban las Vidas de Plutarco, que leí ávidamente, y todavía creo que el tiempo que les dediqué estuvo muy bien aprovechado. Había también un libro de Defoe, titulado *Ensayo sobre proyectos,* y otro del doctor Mather: *Ensayos para hacer el bien,* que tal vez me dieron una forma de pensar y han tenido influencia en los principales acontecimientos de mi vida.

Finalmente, esta inclinación a los libros determinó a mi padre a hacerme impresor, aunque ya tenía un hijo –James- en este oficio. En 1717, mi hermano James regresó de Inglaterra con una prensa y sus fuentes para poner un negocio en Boston. Este me gustó mucho más que el de mi padre, pero aún seguía pensando en el mar. Para evitar el temido efecto de esta inclinación, mi padre estaba impaciente por colocarme con mi hermano. Yo dudé algún tiempo, pero al final me convencieron y firmé el contrato como aprendiz a los 12 años de edad. Iba a seguir en esta posición hasta los 21 y en el último año recibiría algún salario.

En poco tiempo llegué a ser muy competente en el negocio y me convertí en la mano derecha de mi hermano. Por fin tenía acceso a libros mejores. Un conocido mío, de entre los aprendices de vendedores de libros, me prestaba alguno de vez en cuando, el cual yo tenía cuidado de devolver pronto y en buen estado. Con frecuencia tenía que pasarme leyendo la mayor parte de la noche, cuando me prestaban el libro en la tarde y debía devolverlo a la mañana siguiente, antes que notaran su ausencia.

Después de algún tiempo, un comerciante inteligente, el señor Matthew Adams, quien seguido nos visitaba y poseía una buena colección de libros, me invitó a su biblioteca y muy amablemente me ofreció prestarme todos los libros que quisiera leer. Yo había empezado a interesarme en la poesía y tenía escritas algunas piezas. Mi hermano, pensando que podrían llegar a ser de importancia, me animó a seguir y, gracias a él terminé dos baladas. Una se llamaba "La tragedia del faro". Era un relato de cuando el capitán Worthilake se ahogó junto con sus dos hijas. La segunda era una canción de marineros, sobre el pirata Barba Negra.

En cuanto estuvieron impresas, mi hermano me mandó a venderlas por todo el pueblo. La primera, como el suceso era reciente, se vendió maravillosamente bien, lo cual halagó mi vanidad. Pero mi padre me desalentó, ridiculizándome y diciéndome que todos los versificadores acababan de pordioseros. Así me salvé de ser poeta, ya que probablemente hubiera sido malo. Pero, como la escritura en prosa ha sido muy útil en todo el camino de mi vida y fue el medio principal para que yo progresara, voy a contar cómo fue que adquirí la poca habilidad que tengo en esto.

Había otro muchacho aficionado a los libros en el pueblo, de nombre John Collins, de quien yo era amigo íntimo. A veces discutíamos; nos gustaba mucho hacerlo, rebatir cada uno los argumentos del otro. Esto, a propósito, llega a convertirse en un hábito muy malo y hace a la gente poco grata en sociedad: agria y echa a perder la conversación y produce disgustos y a veces enemistades donde podría haber lugar para la camaradería. A mí se me había pegado leyendo los libros de mi padre de discusiones sobre religión. Las personas sensatas, según he observado, rara vez caen en él, excepto los abogados, los universitarios y la gente de toda clase que se haya criado en Edimburgo.

Collins y yo habíamos encontrado un tema de discusión: la conveniencia de educar al sexo femenino y su capacidad para el estudio. Él sostenía la idea de que era inconveniente y que las mujeres, por naturaleza, no estaban tan dotadas como nosotros. Yo me puse del lado contrario, un poco por puro amor a la discusión. Él era más elocuente, disponía de muchas palabras y muchas veces me apabulló, más por su fluidez que por la fuerza de sus razonamientos.

Como tuvimos que despedirnos sin haber llegado a ninguna conclusión y no íbamos a vernos en mucho tiempo, decidí poner mis argumentos por escrito. Luego los pasé en limpio y se los mandé. Él contestó y yo respondí. Tres o cuatro cartas habían salido de cada lado, cuando mi padre descubrió mis papeles y los leyó. Sin entrar en la discusión, aprovechó la oportunidad para hablarme de mi estilo. Observó que, aunque yo tenía sobre mi rival la ventaja de una ortografía correcta (lo cual le debía a la imprenta), me quedaba corto en elegancia de expresión, en orden y en claridad. De esto me convenció con unos cuantos ejemplos. Yo reconocí la justicia de sus observaciones y, desde entonces, decidido a mejorar, me volví más cuidadoso del estilo.

Por esta época descubrí un raro volumen de *El espectador*. Era el tercero. Yo nunca había visto uno de ellos. Lo compré, lo leí una y otra vez y lo disfruté mucho. El estilo me pareció excelente y quise imitarlo en lo posible. Con esto en mente, tomé algunos artículos, los copié parcialmente y, poniendo algunas pistas de lo que decía cada oración, traté de reconstruirlos exactamente como eran, pero sin ver el libro. Luego comparé mi *Espectador* con el original, descubrí algunos errores y los corregí. Pero me di cuenta de que necesitaba un acervo de palabras o más agilidad para recordarlas y utilizarlas, lo cual –pensé– ya lo habría conseguido si hubiera continuado haciendo versos.

La necesidad continua de encontrar palabras con el mismo significado pero diferente longitud, que se ajustaran a la métrica o a la rima, me habría obligado a estar buscando la variedad y a fijar esta variedad en mi mente, forzándome al dominio de ella. Así que tomé algunos relatos y los puse en verso. Y después de un tiempo, cuando ya había olvidado la prosa volví a ella. A veces, también, revolvía mi colección de pistas y, luego de unas semanas, trataba de ordenarlas, antes de empezar a formar las oraciones completas y terminar el artículo. El objetivo de esto era enseñarme a ser metódico en la estructuración de mis pensamientos.

Cuando, después, comparaba mi trabajo con el original, descubría errores y los corregía. Pero a veces tenía el placer de imaginarme que, en ciertos detalles de poca importancia, había sido suficientemente afortunado como para mejorar el método o el estilo, y esto me alentaba a pensar que, con el tiempo, podría llegar a ser un escritor pasable, cosa que ambicionaba en extremo.

Mi horario para estos ejercicios y para la lectura era en la noche, después del trabajo, o en la mañana, antes de comenzar la jornada, o bien los domingos, cuando lograba quedarme solo en la imprenta. Evadía cuanto era posible asistir al servicio religioso, al cual mi padre me había obligado durante todo el tiempo que viví con él. En realidad, seguía considerándolo una obligación, aunque –me decía- no tenía tiempo para cumplirla.

Más o menos a los 16 años, me encontré un libro escrito por un tal Tryon, que recomendaba la dieta vegetariana. Decidí seguirla. Mi hermano, todavía soltero, no comía en la casa; en lugar de eso, se había abonado junto con sus aprendices con una familia. Mi negativa a comer carne se convirtió en un inconveniente, y con frecuencia, me regañaba por mi singularidad.

Me familiaricé con algunas recetas de Tryon para preparar papas o arroz hervido, hacer pudines rápidos y otras cosas y le propuse a mi hermano que, si me daba cada semana la mitad de lo que pagaba por mi comida, yo me haría solo de comer. Él aceptó inmediatamente y yo luego descubrí que podía ahorrar la mitad de lo que me daba: fondo adicional para comprar libros. Pero además de esto tenía otra ventaja. Mi hermano y los otros salían de la imprenta para ir a comer y yo me quedaba solo. Rápidamente despachaba mi frugal comida, que no consistía más que en un bizcocho o una rebanada de pan, un puñado de pasas o un pastelillo y un vaso de agua. El resto de tiempo, hasta que ellos regresaban, lo dedicaba al estudio, en lo cual había progresado grandemente, gracias a la claridad de mente y a la agilidad de comprensión que suelen resultar de la templanza en el comer y el beber. Y ahora, recordando con vergüenza que ya había fracasado dos veces en el aprendizaje de la aritmética, cuando iba a la escuela, tomé por mi cuenta el libro de matemáticas de Cocker y lo leí todo con gran facilidad.

Leí también los libros de navegación de Seller & Sturmy y me fui familiarizando con lo poco de geometría a que hacían referencia, aunque nunca llegué a profundizar en esta ciencia. Más o menos por esta época, leí los escritos de Locke sobre el entendimiento humano y *El arte de pensar,* de los señores Du Port Royal.

Mientras me hallaba en el intento de mejorar mi lenguaje, me topé con una gramática inglesa (creo que era la de Greenwood), en cuya última parte había dos pequeños esbozos de las artes de la retórica y la lógica; esta última terminaba con una especie de diálogo según el método socrático. Después me hice de *Las cosas memorables de Sócrates,* de Jenofonte, donde hay otros ejemplos del mismo método. Estaba encantado con él, lo adopté, abandoné mi hábito de contradecir abruptamente, y cambié la argumentación positiva por la humildad del que pregunta y duda.

Para entonces, gracias a mi lectura de Shaftsburry y Collins, tenía serias dudas en lo que se refería a varios puntos de nuestra religión, y el método socrático resultó ser muy seguro para mí y muy embarazoso para aquellos contra quienes lo usaba. Así que le tomé mucho gusto, me di a practicarlo continuamente y me volví hábil y experto en hacer que, incluso la gente con conocimientos superiores, hiciera concesiones cuyas consecuencias no había previsto; los enredaba en dificultades de las que luego no podían salir, y así conseguía victorias que ni yo ni la causa que defendía podíamos merecer.

Seguí con este método unos años, pero luego, gradualmente, lo dejé. Me quedé sólo con el hábito de expresarme en términos de modestia, sin decir nunca nada que pueda ser refutado, como "Ciertamente", "Sin duda", o cualquier otra expresión que le dé a lo que uno dice un aire positivo. En vez de eso, digo "Me parece", "Me imagino", "Yo pensaría que...", "Si no me equivoco..." Creo que este hábito me ha sido de gran ventaja cuando he tenido que defender mis opiniones o persuadir a otros de cosas que, de vez en cuando, he promovido. Y, como los objetivos principales de la conversación son *informar o ser informado, agradar o persuadir*, les deseo a los hombres sensatos y de buenas intenciones que no disminuyan su poder de hacer el bien adoptando un estilo afirmativo que rara vez deja de disgustar, tiende a crear oposición, y traiciona todos esos propósitos para los cuales nos fue dado el discurso: convencer, dar o recibir información y dar placer. Porque, si lo que uno quiere es *informar,* un estilo dogmático y afirmativo de exponer sus ideas, puede provocar contradicciones y evitar la atención espontánea.

Si uno quiere obtener información y mejorar gracias al conocimiento de otros, y al mismo tiempo expresa sus opiniones con afirmaciones fijas, los hombres modestos y sensatos, enemigos de la discusión, probablemente nos dejen sin molestarnos en posesión de nuestro error. Y de esta manera, difícilmente podrá ser recomendable como alguien capaz de *complacer* a sus interlocutores, o de *persuadir* a aquellos cuyo apoyo desea.

Dice Pope, juiciosamente: "Hay que instruir a los hombres como si no estuviera uno instruyéndolos, diciéndoles las cosas que no saben como si las hubieran olvidado." Y más adelante nos recomienda: "Hay que hablar con modestia, aunque esté uno seguro." Junto con esta frase, podría ponerse esta otra, también suya: "La falta de modestia es falta de sensatez."

En 1720 o 1721, mi hermano comenzó a imprimir un periódico. Fue el segundo de Norteamérica y se llamó *The New England Courant*. El único que había antes de éste era *The Boston News Letter*. Recuerdo que algunos de sus amigos trataron de disuadirlo de la empresa, con el argumento de que no tendría éxito, ya que, a su juicio, un periódico era suficiente para América.

En esta época, 1771, hay no menos de 25. Sin embargo, mi hermano siguió adelante con su empresa y, después de trabajar en el formato y la impresión de las planas, me encargué de salir a la calle para distribuir los ejemplares entre los compradores. Mi hermano tenía algunos amigos inteligentes que se divertían escribiendo articulillos para el periódico, lo cual le dio prestigio y aumentó su demanda. Estos caballeros nos visitaban con frecuencia. Al oír sus conversaciones y cómo hablaban de la aprobación con que la gente había leído sus escritos, me emocionó pensar que podía medirme con ellos.

Pero, como todavía era un muchacho y sospechaba que mi hermano pondría objeciones a imprimir en su periódico algo que supiera mío, logré disfrazar mi letra, escribí un artículo anónimo y lo eché en la noche por debajo de la puerta. Mi hermano lo encontró en la mañana y se lo enseñó a sus amigos, cuando ellos llegaron, siguiendo su costumbre, lo leyeron, lo comentaron delante de mí, y yo sentí un placer exquisito al oír cómo lo aprobaban y cómo, cada vez que trataban de adivinar el autor, sólo mencionaban señores conocidos por su cultura y su inteligencia. Ahora pienso que tuve suerte con mis jueces, o que en realidad no eran tan buenos como yo los estimaba.

Sin embargo, animado por esto, escribí y envié de la misma manera varios artículos más, que fueron igualmente aprobados, y guardé mi secreto hasta que se me acabó el gusto que tenía de hacerlo así y entonces lo revelé. Lo hice cuando empezaba a ser más considerado por los amigos de mi hermano y de una manera que a él no le gustó del todo; pensaba, quizá con razón, que me haría demasiado vano.

Y tal vez esto dio ocasión a las diferencias que tan a menudo tuvimos en esta época. Aunque era mi hermano, él se consideraba mi maestro y a mi su aprendiz, y de acuerdo con esto esperaba de mi los mismos servicios que habría recibido de cualquier otro. Por mi parte, esperaba que se portara conmigo con más indulgencia. Nuestras disputas llegaban muy seguido hasta nuestro padre, y creo que generalmente yo tenía la razón, o por decirlo de otro modo era mejor abogado, porque su juicio siempre caía a mi favor.

Pero mi hermano era violento y muchas veces me golpeó, cosa que yo tomé con gran resentimiento. Sintiendo que mi aprendizaje con él era muy tedioso, continuamente estaba en busca de una oportunidad para abreviarlo, la cual llegó de una manera inesperada.

Una de las notas de nuestro periódico, en algún punto que ya no recuerdo, hizo que la Asamblea se sintiera ofendida. Mi hermano fue arrestado, censurado y encarcelado durante un mes, supongo que porque no quiso delatar al autor. A mi también me arrestaron y me interrogaron ante el Consejo, pero, aunque no les di ninguna satisfacción, se contentaron con reprenderme y me dejaron ir, considerándome tal vez como un aprendiz que se encuentra obligado a guardar los secretos de su maestro.

Durante el encarcelamiento de mi hermano, que resentí bastante a pesar de nuestras diferencias, tuve que hacerme cargo del periódico y de alguna manera comenté lo que hacían nuestros gobernantes, cosa que mi hermano tomó con agrado. Pero otras personas empezaron a verme bajo una luz poco favorable, como a un joven genio que tenía disposición al libelo y a la sátira.

La liberación de mi hermano llegó acompañada con una orden de las autoridades (bastante rara), en el sentido de que "James Franklin no deberá seguir imprimiendo el periódico llamado *The New England Courant*". Sus amigos se reunieron en nuestra imprenta para decidir lo que iba a hacerse. Algunos propusieron evadir la orden cambiando el nombre del periódico, pero mi hermano vio en esto varios inconvenientes. Finalmente se decidió imprimirlo en el futuro con el nombre de *Benjamín Franklin*.

Para evadir la censura de la Asamblea, que, podría acusar a mi hermano de que hacía imprimir el periódico por uno de sus aprendices, el acuerdo fue que mi contrato sería liberado. Pero, para que mi hermano estuviera seguro de que yo seguiría trabajando para él, tuve que firmar un nuevo contrato, el cual se mantendría en secreto, por lo que quedaba del plazo. Era un ardid muy débil; sin embargo, se puso en efecto inmediatamente y el periódico salió con mi nombre durante varios meses. Finalmente, al surgir una nueva diferencia entre mi hermano y yo, tomé la decisión de defender mi libertad; le presumí que no se atrevería a enseñar el nuevo contrato.

No fue justo aprovecharme de esta ventaja, y por eso la reconozco como uno de los primeros errores de mi vida. Pero la injusticia del acto me importó poco, resentido como estaba por los golpes que su ira le había hecho darme con tanta frecuencia. Fuera de esto, él no era un hombre de malos sentimientos; tal vez yo fui demasiado insolente o provocativo.

CAPÍTULO II

Los años
de formación
– Filadelfia, 1723

*C*uando mi hermano vio que yo iba a dejarlo, como resultado de todas estas situaciones difíciles que se habían presentado entre nosotros, se encargó de evitar que me dieran empleo en cualquier otra imprenta de la ciudad, yendo personalmente a hablar con los patrones. Ellos, ya de acuerdo con él, se negaron a contratarme.

Entonces pensé irme a Nueva York, que era el lugar más cercano donde había imprentas. Me sentía más que inclinado a dejar Boston, donde ya me había hecho odioso al partido gobernante. Además, pensando en los arbitrarios procedimientos de la Asamblea en el caso de mi hermano, era probable que, si me quedaba, me llevaran pronto a la cárcel, más todavía cuando mis indiscretas discusiones sobre religión empezaban a hacer que la gente buena me señalara con horror, como a un hereje o un ateo. Tomé una decisión en este punto. Pero mi padre estaba ahora de parte de mi hermano y pensé que, si me iba abiertamente, encontraría los medios para detenerme. Mi amigo Collins se ofreció a ayudarme. Negoció mi pasaje con el capitán de una balandra neoyorquina, diciéndole que yo era un joven conocido suyo que había embarazado a una prostituta; los amigos de ella querían casarme y, por lo tanto, yo no debía aparecer ni huir públicamente.

Así que vendí algunos de mis libros para juntar dinero, abordé en secreto la balandra y, como teníamos buen viento, en tres días me encontré en Nueva York, a casi 300 millas de mi casa. Yo era un muchacho de apenas 17 años, sin ninguna recomendación, sin conocimiento de ninguna persona en la ciudad y con muy poco dinero en el bolsillo.

Para este entonces, mis inclinaciones hacia el mar se habían esfumado; de no ser así, habría podido seguirlas. Pero ahora tenía un oficio, me creía bastante bueno en él, y le ofrecí mis servicios al impresor de la ciudad, el viejo señor William Bradford, quien había sido el primer impresor de Pensilvania, pero tuvo que mudarse a causa de un pleito. No pudo darme empleo, porque tenía poco trabajo y ya contaba con suficientes ayudantes, pero –me explicó- tengo un hijo en Filadelfia cuya mano derecha, Aquila Rose, acaba de fallecer. "Si va usted allá, creo que le dará el empleo." Filadelfia quedaba todavía a 100 millas. Sin embargo, me puse en camino.

Al cruzar la bahía, una tormenta rompió en pedazos nuestras velas y nos arrastró hasta Long Island. En el camino, un holandés borracho, también pasajero, se cayó por la borda. Cuando se estaba hundiendo, yo metí la mano en el agua, lo cogí de los cabellos y lo rescaté. El accidente le había devuelto un poco la sobriedad, así que se fue a dormir, pero primero se sacó del bolsillo un libro que me pidió le pusiera a secar. Resultó ser mi favorito: *El progreso del peregrino*, de Venían, en holandés, finamente impreso en el mejor papel y con tapas de cobre, encuadernación superior a cualquiera que le hubiese visto llevar en lengua original.

Desde entonces, he visto que lo han traducido a la mayoría de las lenguas europeas, y supongo que ha sido más leído que cualquier otro libro excepto *La Biblia*. El honesto John fue el primero, hasta donde yo sé, que mezcló la narración con el diálogo, procedimiento muy atractivo para el lector, quien, en las partes más interesantes, se siente como si estuviera presente en las situaciones.

Esto lo ha imitado con éxito Defoe en su *Robinson Crusoe*, en *Moll Flanders*, *Cortejo religioso*, *Instructor familiar* y en otras obras, y Richardson hizo lo mismo en *Pamela*.

Al acercarnos a la isla, descubrimos que no era un sitio donde se pudiera atracar, ya que se trataba de una playa rocosa llena de olas altas. Así que soltamos el ancla y nos aproximamos a la orilla. Algunas personas llegaron hasta la playa y desde allí nos saludaron, como nosotros a ellas. Pero el viento soplaba tan fuerte y el oleaje era tan ruidoso, que no podíamos oír lo suficiente para comprendernos.

Había lanchas en la playa. Hicimos señas a la gente para que vinieran por nosotros, pero ellos, o no nos entendieron o pensaron que no sería posible. Así que se marcharon. La noche se acercaba ya no nos quedó más remedio que esperar hasta que el viento cesara. Mientras tanto, el contramaestre y yo decidimos dormir, si podíamos, y nos dirigimos a la escotilla, con el holandés, que todavía estaba mojado. El rocío de las olas cubría nuestra embarcación y se colaba hasta nosotros, a tal grado que pronto estuvimos casi igual de mojados. Así pasamos la noche, con muy poco descanso.

Al día siguiente, el viento cesó y reemprendimos el camino para llegar a Amboy, antes del anochecer y después de 30 horas en el agua sin alimentos ni agua ni nada que beber, excepto una botella de un ron asqueroso.

En la noche me sentí con fiebre y me fui a la cama. En alguna parte había leído que beber agua fría es bueno para la fiebre. Seguí este consejo, lo cual me hizo sudar la mayor parte de la noche, y en la mañana ya estaba bien. Seguí mi viaje a pie y, después de andar 50 millas, llegué a Burlington, donde me dijeron que encontraría una lancha que me llevaría el resto del camino hasta Filadelfia.

Todo el día llovió fuerte; quedé totalmente empapado y, a mediodía, sentí tanto cansancio que me detuve en una pobre posada. Ahí pasé la noche, deseando nunca haber salido de mi casa. Tenía un aspecto tan miserable que, por las preguntas que me hacían, me di cuenta que me habían tomado por algún sirviente fugitivo. Sin embargo, continué mi camino y, al caer la noche, llegué al mesón de un tal doctor Brown. Él inició la conversación mientras yo tomaba algo y, al descubrir que tenía mis lecturas, se volvió sociable y amistoso. Nuestra amistad duraría hasta el día de su muerte.

Me pareció que era un doctor itinerante, ya que no había pueblo en Inglaterra ni país en Europa del cual no tuviese un comentario personal. Tenía sus lecturas y era inteligente, pero mucho había en él de descreído con toda malicia, dedicó varios años a traducir *La Biblia* en un inglés prosaico, tal como Cotton lo había hecho con Virgilio. Gracias a esto, había expuesto muchos de los hechos de una manera ridícula, que habría dañado muchas mentes débiles si se hubiera publicado la obra, pero nunca fue así. Me quedé en su casa esa noche y a la mañana siguiente llegué a Burlington. Tuve una nueva mortificación al encontrarme con que, poco antes de mi llegada, se habían marchado todas las embarcaciones.

Era sábado y no vendrían otras hasta el martes. Así que volví con una anciana del pueblo, a quien había comprado una pieza de pan, y le pedí consejo. Me invitó a quedarme en su casa hasta que hubiera modo de transportarme. Cansado de viajar, como estaba, acepté la invitación. Cuando supo que yo era impresor, como no sabía todo lo que se necesitaba para este trabajo, me dijo que me quedara y pusiera en el pueblo mi negocio. Era muy hospitalaria; me dio de cenar con toda la buena voluntad, sin aceptar a cambio más que una jarra de cerveza. Mi problema estaba resuelto hasta el martes.

Esa misma tarde, cuando caminaba por la orilla del río, trabé contacto con una barca que iba a

Filadelfia. Me aceptaron entre los pasajeros. Como no había viento, tuvimos que remar todo el camino. Cerca de la medianoche todavía no llegábamos a la ciudad, así que algunos pasajeros aseguraron que ya la habíamos pasado. Decidimos no seguir remando y sacamos la barca a tierra. Luego nos encontramos ante una cerca, con cuyas tablas hicimos una fogata –era una noche fría de octubre- y allí nos quedamos hasta el amanecer. Llegamos a Filadelfia en la mañana del domingo, como a las 8 ó 9.

He descrito este viaje con mucho detalle y así describiré mi primera entrada en la ciudad, a fin de que puedan compararse tan improbables principios con la imagen que he tenido desde entonces. Iba vestido con mi ropa de trabajo y estaba sucio y cansado de viajar, remar y no tener reposo. No conocía ni un alma ni sabía a dónde dirigirme en busca de alojamiento. Tenía hambre y mi capital se reducía a un dólar y un chelín de cobre. Este último se lo di como pago por mi pasaje a la gente de la barca, quienes al principio no lo aceptaron porque yo había estado remando. Pero insistí en que lo tomaran. A veces es uno más generoso cuando casi no tiene dinero que cuando tiene mucho, tal vez por temor a que se den cuenta de su pobreza.

Caminé calle arriba, mirando hacia todos lados hasta que, cerca del mercado encontré un muchacho que llevaba pan. Le pregunté dónde lo había conseguido, me dirigí de inmediato a donde me indicó, en la Segunda Calle, y pedí unos bizcochos; pensaba en pastelitos como los que tenemos en Boston, pero en Filadelfia no los hacían. Pedí entonces una hogaza de tres peniques. Tampoco las hacían. De modo que, como no sabía cuánto costaban los panes ni de cuáles eran más caros o más baratos, pedí tres peniques de cualquier clase de pan. Me dieron tres roles grandes. La cantidad me sorprendió, pero los tomé y, como no tenía lugar en los bolsillos, me llevé uno bajo cada brazo y el tercero me lo fui comiendo. Así subí por la calle del mercado, hasta la Cuarta Calle, y pasé frente a la puerta del señor Read, mi futuro suegro. La que sería mi esposa estaba parada en la puerta y me vio; pensó que yo tenía el aspecto más torpe y ridículo. Entonces di vuelta y seguí por la calle Chestnut y parte de la calle Walnut, comiéndome mis roles todo el camino y, al dar la vuelta, me encontré otra vez en el embarcadero del mercado, cerca del bote en el que llegué. Me dirigí allá por un sorbo de agua del río. Como ya me sentía lleno con el primero de mis roles, les di los otros a una mujer y a su niño.

Ya recuperado, volví a subir por la calle, que ahora estaba llena de gente bien vestida. Todos caminaban en la misma dirección. Los seguí y, guiado por ellos, llegué al templo de los cuáqueros. Tomé asiento entre ellos y, como no oí que dijeran nada y me sentía muy somnoliento por el cansancio y la falta de sueño, me quedé dormido. Estuve así hasta que terminó el servicio y alguien tuvo la amabilidad de despertarme. Así que ésta fue la primera casa donde estuve y dormí en Filadelfia.

Eché a andar otra vez hacia el río, mirando a la gente a la cara, hasta que me topé con un joven cuáquero cuyo aspecto me cayó bien, y lo abordé para preguntarle dónde podría conseguir alojamiento. Nos hallábamos casi junto al letrero de Los Tres Marineros.

—Este —dijo— es el lugar donde vienen a hospedarse los forasteros. Pero no es una casa de buena reputación. Si usted gusta, puedo enseñarle un lugar mejor.

Me llevó a un establecimiento de la Calle Water. Aquí me dieron de comer y, mientras lo hacía tuve que responder a algunas preguntas; por mi juventud y mi aspecto, parecían sospechar que era un fugitivo. Después de la comida me volvió el sueño. Pedí que me mostraran mi habitación y, al quedarme solo, caí dormido en la cama, con la ropa puesta, y no desperté sino hasta las seis de la tarde. Luego me llamaron a cenar. Subí temprano a acostarme y dormí hasta la mañana siguiente. Entonces me arreglé tan bien como pude y me dirigí al local de Andrew Bradford, el impresor.

En el negocio me encontré con el padre de Bradford, a quien había visto en Nueva York y que, viajando a caballo, llegó a Filadelfia antes que yo. Él me presentó con su hijo, quien me recibió cortésmente y me invitó a almorzar, pero me dijo que de momento no necesitaba ningún ayudante, pues ya tenía uno. Sin embargo, acababa de instalarse en la ciudad otro impresor, un tal Keimer, que tal vez me diera trabajo. Si no era así, él me ofrecía que podía quedarme en su casa, haciendo algún trabajo, hasta que algo se presentara.

El viejo señor dijo que me acompañaría a ver al nuevo impresor. Cuando lo encontramos, le dijo:

—Vecino, aquí le traigo a un joven de su oficio, tal vez necesite alguien como él.

El impresor me hizo algunas preguntas y me puso en la mano un componedor para ver cómo trabajaba. Luego dijo que me daría el empleo, aunque en ese momento no tenía nada que yo pudiera hacer. Pensó que Bradford –a quien nunca antes había visto- era uno de los ciudadanos que le tenían buena voluntad, así que se puso a platicar con él de sus proyectos.

El negocio de Keimer, según descubrí, consistía en una traqueteada máquina de imprenta y una pequeña y gastada fuente para el inglés, la cual él estaba usando en ese momento, componiendo con ella una elegía sobre Aquila Rose, hombre inteligente y de excelente carácter, muy respetado en la ciudad, funcionario de la Asamblea y buen poeta. Keimer también hacía versos, pero con mucha indiferencia. Ni siquiera podía decirse que los escribiera, ya que su estilo era componerlos de una vez en la fuente, directamente de su cabeza.

Traté de instalar la máquina (que él todavía no usaba y de la cual no sabía nada) de modo que se pudiera trabajar con ella, y le prometí que vendría a imprimir la elegía en cuanto estuviera lista. Regresé con Brandford, quien me dio algo que hacer por el momento y allí me quedé a dormir y a comer. Unos días después, Keimer mandó por mí para imprimir la elegía. Esta vez se había hecho de otro par de cajas y tenía que reimprimir un panfleto, en el cual me puso a trabajar.

Me pareció que los dos impresores estaban muy poco calificados para su oficio. Bradford no estaba hecho para él y además era muy ignorante. Y Keimer, aunque algo más culto, era un simple formador, sin mayores conocimientos del arte de imprimir. Había pertenecido a la secta de los Profetas Franceses y podía actuar con la vehemencia de ellos. En esta época ya no profesaba ninguna religión, pero a veces parecía tener una mezcla de todas. Era muy ignorante en las cosas del mundo y tenía, como después descubrí, mucho de plebeyo en su escritura. No le gustó que me quedara con Bradford mientras trabajaba para él. Él no tenía muebles en su casa, así que no podía ofrecerme alojamiento. Pero me lo consiguió en casa del señor Read. Para esto ya habían llegado mi baúl y mi ropa, con lo cual pude adquirir, a los ojos de la señorita Read, un aspecto por lo menos más respetable que el de aquel día cuando iba por la calle comiéndome mi rol.

Empecé a hacerme de amistades entre los jóvenes de la ciudad, que eran amantes de la lectura, y con ellos pasaba tardes muy agradables. Ahora que ganaba dinero gracias a mi trabajo y a mi frugalidad, y vivía cómodamente, me olvidé de Boston tanto como pude. No quería que nadie de allá se enterara de dónde vivía, excepto mi amigo Collins, a quien seguía escribiéndole. Finalmente, ocurrió algo que me mandó de regreso mucho antes de lo que hubiera deseado.

Tenía un cuñado, Robert Homes, capitán de una balandra que traficaba entre Boston y Delaware. Hallándose en Newcastle, a 40 millas de Filadelfia, oyó hablar de mí y me escribió una carta mencionando la preocupación de mis amigos en Boston, asegurándome la buena voluntad que me tenían y prometiéndome que todo se haría como yo quisiera si regresaba, a lo cual me exhortaba encarecidamente. Le escribí una carta de respuesta y le di las gracias por sus consejos, pero también expuse las razones por las cuales había dejado Boston definitivamente. Le expliqué todo para convencerlo de que no estaba tan equivocado como suponía.

William Keith, gobernador de la provincia, se encontraba en Newcastle, y dio la casualidad de que estaba en compañía de mi hermano cuando llegó mi carta, la cual pidió que le mostraran. El gobernador la leyó y quedó sorprendido cuando supo mi edad. Dijo que yo le parecía un joven prometedor y que por lo tanto debía ser motivado. Los impresores de Filadelfia eran unos miserables y, si yo me establecía allí, no dudaba que tendría éxito. Por su parte, él me encargaría la impresión de trabajos públicos y haría por mi todo lo que estuviera en su mano. Esto me lo contó mi cuñado después, en Boston. Pero por lo pronto yo no sabía nada de eso.

Un día Keimer y yo estábamos trabajando juntos cerca de la ventana, cuando vimos al gobernador y a otro caballero (que resultó ser el coronel French, de Newcastle), elegantemente vestidos; cruzaron la calle en dirección a nosotros y llamaron a la puerta. Keimer corrió a abrir, pensando que venían a verlo. Pero el gobernador preguntó por mí, entró y, con una condescendencia y una amabilidad a las que yo no estaba acostumbrado, me hizo muchos cumplidos, dijo que quería ser mi amigo y me reprochó suavemente por no haber ido a verlo desde que llegué a la ciudad. Me invitó a acompañarlo a la taberna, junto con el coronel French, diciéndome que allá servían un excelente Madeira. No era poca mi sorpresa y Keimer se me quedaba viendo como un puerco envenenado.

Sin embargo, fui con el gobernador y el coronel French a la taberna que está en la esquina de la Tercera Calle. Ya con la copa de Madeira, el gobernador me propuso establecer mi propio negocio, me explicó las probabilidades de éxito y, tanto él como el coronel French, me aseguraron que tenían influencias e interés suficiente para darme a hacer todo el trabajo que se requiriera en el gobierno. Como me entró la duda de si mi padre querría ayudarme, Sir William dijo que me daría una carta para él donde explicara todas las ventajas; no dudaba que podría convencerlo. Así, se acordó que yo regresaría a Boston en la primera embarcación, con la carta del gobernador para mi padre.

Mientras tanto, los planes se mantendrían en secreto y yo seguiría trabajando con Keimer, como siempre. De vez en cuando, el gobernador mandaría por mí para que cenáramos juntos, cosa que me pareció un honor, como me lo parecía el que me tratara de una manera tan amable, familiar y amistosa. Para finales de abril de 1724, una pequeña balandra salió para Boston. Me despedí de Keimer como si hubiera ido a visitar a mis amigos. El gobernador me escribió una carta extensa, diciéndole a mi padre muchas cosas halagadoras de mí, y recomendándole insistentemente mi proyecto de establecerme en Filadelfia, como algo que haría mi fortuna.

Al salir de la bahía, chocamos contra un banco, la nave se averió y, como además teníamos mal tiempo, tuvimos que bombear constantemente, para lo cual me llegó mi turno. Sin embargo, en quince días aproximadamente llegamos a Boston. Yo había estado ausente durante siete meses y mis amigos no tenían noticias mías. Mi inesperada aparición sorprendió a mi familia, aunque todos se mostraron contentos de verme y me dieron la bienvenida, excepto mi hermano.

Fui a verlo a su imprenta, mejor vestido de lo que siempre lo estuve mientras trabajaba con él, con un elegante traje nuevo, reloj y mis bolsillos abultados con casi cinco libras de plata. Me recibió sin mucha amabilidad, me examinó de arriba abajo y volvió a su trabajo. Los otros querían saber dónde había estado, qué clase de territorio era y si me había gustado. Yo lo alabé mucho, así como a la dichosa vida que llevaba allí, expresando claramente mi intención de regresar. Cuando uno de ellos me preguntó qué clase de dinero manejaban, saqué un puñado de monedas de plata y las extendí ante él. Fue como una exhibición de cosas raras, ya que en Boston sólo se usaban billetes. Luego busqué la oportunidad de hacer que vieran mi reloj y, por último (mi hermano seguía callado y sombrío), les di una moneda para que se tomaran un trago y me despedí.

Esta visita ofendió extremadamente a mi hermano. Cuando, algún tiempo después, mi madre habló con él de reconciliación y de que quería vernos otra vez en buenas relaciones y que en el futuro viviéramos como hermanos, él dijo que yo lo había insultado delante de su gente de una manera que nunca podría olvidar ni perdonar. Sin embargo, en esto estaba en un error.

Mi padre, aparentemente, recibió la carta del gobernador con alguna sorpresa, pero apenas si me dijo algo de ella en varios días. Se la enseñó al capitán Homes cuando regresó y le preguntó si conocía a Keith y qué clase de hombre era. A esto le añadió su propia opinión, en el sentido de que debía ser una persona escasamente sensata, ya que pensaba ponerle un negocio a un muchacho a quien todavía le faltaban tres años para la mayoría de edad. Homes dijo lo que pudo a favor del plan, pero mi padre no dio un paso atrás en cuanto a lo inapropiado del mismo y al final, llanamente, negó su consentimiento. Le escribió una carta a Sir William, dándole las gracias por el apoyo que tan amablemente me había ofrecido, pero declinando ayudarme debido a que, en su opinión, yo era demasiado joven como para confiarme un negocio.

Collins, mi amigo y compañero, quien trabajaba como empleado en la oficina de correos, complacido con la descripción que le hice de mi nueva tierra, resolvió irse también para allá. Mientras yo estaba esperando la decisión de mi padre, él se adelantó por tierra hasta Rhode Island y dejó sus libros, una buena biblioteca de matemáticas y filosofía natural. Yo me los llevaría luego hasta Nueva York, donde habíamos quedado de vernos.

Mi padre, aunque no aprobaba la proposición de Sir William, estaba contento de que yo hubiera podido conseguir el favor de una persona tan importante y de que yo hubiera sido tan trabajador y cuidadoso como para equiparme tan bien en tan poco tiempo. Así que, como no vio perspectivas de reconciliación entre mi hermano y yo, dio su consentimiento para que regresara a Filadelfia, me aconsejó comportarme respetuosamente con las personas de allá, tratar de ganarme la estimación de todos, y que no hiciera sátiras ni libelos, a lo cual pensaba que yo tenía especial inclinación. Me dijo que, con aplicación constante y una prudente paciencia, a los 21 años podría haber ahorrado lo suficiente para establecerme. Si para entonces había oportunidad, él me ayudaría.

Esto fue todo lo que pude obtener, aparte de pequeños regalos de su parte y de la de mi madre. Me los entregaron cuando me embarqué de regreso a Nueva York, esta vez con su permiso y su bendición.

La balandra hizo escala en Newport, Rhode Island. Fui a visitar a mi hermano John, quien se había casado y establecido allí. Me recibió afectuosamente porque siempre me había querido. Un amigo suyo, un tal

Vernon, dijo que le debían dinero en Pensilvania, como 35 libras, las cuales me pedía que cobrara y se las guardara hasta tener un domicilio a donde enviárselas. Después, esto me ocasionaría muchos problemas. En Newport, se unieron a nosotros varios pasajeros que iban a Nueva York. Entre ellos estaban dos mujeres jóvenes y una matrona cuáquera con sus criados. Respecto a ella, yo había mostrado tanta disposición para hacerles pequeños servicios, que me gané su buena voluntad. Así que, cuando vio la creciente familiaridad que había entre las dos jóvenes y yo, la cual ellas mismas alentaban, me llamó aparte y me dijo:

—Estoy preocupada por usted, joven. No tiene amigos aquí y no parece saber mucho del mundo ni de las trampas a que la juventud se halla expuesta. Mire usted, esas dos parecen ser muy malas mujeres. Puedo verlo en todos sus actos. Si usted no se mantiene en guardia, van a arrastrarlo a algún peligro; son unas desconocidas. Por su propio bien y con el interés más afectuoso, le aconsejo que no tenga ningún trato con ellas.

Como al principio no le pareció que yo tuviera de ellas una opinión tan mala como la suya, mencionó algunas cosas que había visto y oído y de las cuales no me di cuenta. Con esto me convenció de que tenía razón. Le di las gracias por sus amables consejos y le prometí seguirlos. Cuando llegamos a Nueva York, las muchachas me dijeron donde vivían y me invitaron a visitarlas, pero yo me alejé de ellas. Y estuvo bien que lo hiciera.

Al día siguiente, el capitán perdió una cuchara de plata y otras cosas que habían desaparecido de su camarote; sabiendo que éstas eran de la calle consiguió una orden para registrar su casa, encontró ahí las cosas perdidas y se encargó de que las ladronas fueran castigadas. De modo que, aunque nos salvamos de chocar en el mar contra una roca hundida, me pareció que escapar de éstasg había sido más importante para mí.

En Nueva York me encontré con mi amigo Collins, quien había llegado antes que yo. Éramos íntimos desde la infancia y habíamos leído juntos los mismos libros, pero él tenía la ventaja de disponer de más tiempo para leer y estudiar, y poseía un genio para las matemáticas que me superaba en mucho. Sin embargo, durante mi ausencia, había adquirido el hábito de embrutecerse con brandy. Así que, tanto por lo que él me dijo como por lo que me contaron otros, supe que había estado bebiendo desde que llegó a Nueva York. También había apostado y perdido, y yo tuve que liquidar su cuenta de hospedaje y pagar sus gastos hasta Filadelfia. Todo esto me resultó extremadamente inconveniente.

Cuando, el entonces gobernador de Nueva York, Burnet, hijo de un obispo, supo por el capitán que uno de sus pasajeros tenía muchos libros, quiso que fuera a visitarlo. Yo había ido con Collins, pero él no estaba sobrio. El gobernador me trató con mucha amabilidad, me enseñó su biblioteca, que era muy grande, y estuvimos conversando sobre libros y autores.

Era el segundo gobernador que me hacía el honor de prestarme alguna atención y esto, para un muchacho pobre como yo, era muy agradable.

Seguimos hasta Filadelfia y en el camino cobré el dinero de Vernon, sin el cual apenas habríamos terminado el viaje. Collins quería conseguir empleo en algún despacho de contabilidad pero, como su aliento y su conducta delataban su vicio, no tuvo éxito con ninguna solicitud y continuó quedándose y comiendo en la misma casa que yo, a mis costillas. Sabiendo que yo tenía el dinero de Vernon, continuamente me estaba pidiendo prestado. Yo me preocupé de pensar qué haría si me lo reclamaban. Collins seguía bebiendo, por lo cual a veces discutíamos; apenas estaba un poco intoxicado, se ponía furioso.

Finalmente, y después de algunos incidentes, se fue con un capitán que iba a Barbados, prometiendo que en cuanto pudiera me enviaría el dinero de la deuda. Pero nunca volví a saber de él. Haber recurrido al dinero de Vernon fue uno de los grandes errores de mi vida. Este asunto demostró que mi padre no estaba tan equivocado al considerarme demasiado joven para un negocio importante. Pero Sir William, al leer su carta, consideró que era excesivamente cauto. Hay mucha diferencia entre una persona y otra, y el buen juicio no siempre acompaña a la juventud, como tampoco anda la juventud siempre sin él.

—Si él no te ayuda a establecerte –dijo– lo haré yo. Hazme una lista de las cosas que hay que traer de Inglaterra. Voy a encargarlas y me pagarás cuando puedas. Estoy decidido a tener aquí un buen impresor.

Esto me lo dijo con tanto cordialidad que no me cupo ninguna duda. Yo había guardado en secreto esta perspectiva de establecerme en Filadelfia y así lo seguía teniendo. Pero, si se hubiera sabido que dependía del gobernador, probablemente algún amigo me habría dicho que no confiara en él. Más tarde supe que estaba en su carácter ser generoso en promesas que no pensaba cumplir. Pero, en ese momento, ¿cómo podía dudar de él? Lo creí el hombre más bueno del mundo.

Le llevé una lista de lo necesario para una pequeña imprenta, con una cantidad que según yo ascendía a 100 libras esterlinas. Él estuvo de acuerdo y me preguntó si no sería conveniente que yo fuera a Inglaterra, a fin de revisar que las fuentes y demás cosas fueran adecuadas.

—Además –dijo- prepárate para irte en el Annis. Éste era el único barco que en esa época hacía, anualmente, el viaje entre Londres y Filadelfia. Faltaban algunos meses para que el Annis saliera, así que seguí trabajando con Keimer, preocupado por el dinero que me debía Collins.

Seguía fiel a mi decisión de no comer carne de ningún animal. El simple hecho de pescar me parecía un asesinato injustificado, ya que ningún pez nos hacía ni podía habernos hecho nada que justificara la matanza. Pero antes había sido un gran amante del pescado y, cuando éste salía caliente del sartén, olía admirablemente bien. Durante algún tiempo dudé entre mis principios y mis inclinaciones, hasta que recordé que, cuando abrían un pescado, a veces le encontraban adentro peces más pequeños. Entonces, pensé: si ustedes se comen unos a otros, no veo por qué yo no voy a comérmelos. Esa noche cené bacalao, con mucho apetito. Después, ya sólo ocasionalmente volví a mi dieta vegetariana. Ser una *criatura razonable* es muy conveniente, ya que nos permite encontrar o producir una razón para cada cosa que pensamos hacer.

Keimer y yo vivíamos en excelentes términos familiares. Él no sospechaba nada de mi negocio. Tenía una opinión tan alta de mis habilidades dialécticas que me propuso ser su socio en el proyecto de fundar una nueva secta. Él predicaría la doctrina, y yo me encargaría de confundir a todos nuestros oponentes. Cuando me explicó cuál era la doctrina, encontré algunos problemas y puse mis objeciones porque, en alguna parte, la ley mosaica decía "No recortarás las orillas de tu barba". De la misma manera guardaba el Sabbath del séptimo día. Estos dos puntos le parecían esenciales. A mí ambos me disgustaban, pero acepté admitirlos con la condición de que él apoyara la doctrina de no consumir carne de animales.

—Lo dudo –dijo él–. Mi constitución no lo aguantaría.

Le aseguré que sí y que hasta se sentiría mejor. Usualmente era un gran glotón y yo me prometí alguna diversión medio matándolo de hambre. Estuvo de acuerdo en intentarlo si yo le hacía compañía. Así lo hice durante tres meses. Teníamos una vecina que nos guisaba y nos traía la comida regularmente, a quien le di una lista de 40 platillos para que nos los preparara en diferentes ocasiones, y en los cuales no había pescado ni carne de ningún animal. El capricho me gustó todavía más que la primera vez, por lo barato que salía.

Desde entonces he guardado varias cuaresmas estrictamente, dejando la alimentación común y convirtiendo en común la dieta de entonces. Y todo de una manera abrupta y sin la menor molestia. Así que no creo en el consejo de hacer estos cambios gradualmente. Yo seguí así con gusto, pero el pobre Keimer sufría penosamente. Harto del proyecto, extrañaba los cocidos de carne de Egipto y, finalmente, ordenó un lechón asado. Me invitó a mí y a dos mujeres amigas de nosotros a cenar con él, pero, como se lo trajeron demasiado temprano, no pudo resistir la tentación y se lo comió solo antes de que llegáramos.

Yo había estado haciéndole la corte a la señorita Read. Le tenía mucho respeto y afecto, y me cabía alguna razón para pensar que ella sentía lo mismo por mí. Sin embargo, como yo estaba a punto de hacer un largo viaje y los dos éramos muy jóvenes (teníamos poco más de 18 años), su madre creyó más prudente esperar un tiempo; si íbamos a casarnos, sería mejor hacerlo a mi regreso, cuando ya tuviera, como esperaba, mi propio negocio. Tal vez mis expectativas no le parecían tan fundadas como a mí.

CAPITULO III

Mi llegada a Europa – Newcastle, 1724

$\mathcal{M}$is amigos de esa época eran Charles Osborne, Joseph Watson y James Ralph, todos oficinistas y amantes de la lectura. Los domingos, los cuatro emprendíamos agradables caminatas por el bosque, donde leíamos en voz alta y hablábamos de nuestros autores. Ralph se sentía inclinado al estudio de la poesía, seguro de que podía llegar a ser eminente y a hacer su fortuna gracias a este arte. Osborne trataba de disuadirlo, asegurándole que no tenía genio para la poesía, y yo, por mi parte, le aconsejaba no pensar en nada más allá de su oficio; le decía que, en el medio de los comerciantes, aunque él no tenía capital propio, podía ir subiendo gracias a su diligencia y puntualidad y, con el tiempo, ahorrar lo suficiente para hacer negocios por su cuenta. A mí me parecía bien que uno se distrajera escribiendo poesía, ya que le ayudaba a mejorar su lenguaje, pero sin ir más allá.

El gobernador, a quien parecía gustarle mi compañía, me invitaba con frecuencia a su casa, y lo de mi negocio siempre se mencionaba como un hecho. Me daría cartas de recomendación para varios amigos suyos, junto con una nota de crédito por el dinero que necesitara para comprar la prensa, las fuentes, el papel, etcétera. Así estuvimos hasta que el barco, cuya partida había sido pospuesta en varias ocasiones, estuvo listo para zarpar. Cuando fui a despedirme y a recibir las últimas cartas, el secretario del gobernador, el señor Bard, salió a atenderme y me dijo que el gobernador se encontraba muy ocupado, pero que estaría en Newcastle antes que el barco y allí me entregaría las cartas.

Ralph, aunque era casado y tenía un hijo, había decidido acompañarme en mi viaje. Supuestamente, quería establecer correspondencia y conseguir unas ventas a comisión. Pero, más tarde, descubrí que había tenido un disgusto con los parientes de su esposa y se proponía dejarla en las manos de ellos y no volver nunca. Habiéndome despedido de mis amigos e intercambiado promesas con la señorita Read, salí de Filadelfia en el barco, que ancló en Newcastle. El gobernador estaba allí. Pero cuando fui a buscarlo, su secretario me hizo saber, de una manera muy gentil, que se hallaba ocupado en asuntos de la mayor importancia y no podía atenderme, pero me enviaría las cartas al barco. Me deseaba sinceramente un buen viaje y un pronto regreso, etcétera. Regresé al barco un poco contrariado, pero todavía seguro.

El señor Andrew Hamilton, famoso abogado de Filadelfia, iba en el barco con su hijo y habían ocupado el camarote más grande junto con el señor Denham, un comerciante cuáquero, y los señores Onion y Russel, dueños de una fundición de hierro en Maryland. El señor Denham y yo hicimos una amistad que duró toda su vida. Aparte de esto, el viaje no fue muy agradable, debido al mal tiempo.

Cuando llegamos al Canal, el capitán me dejó examinar un paquete con cartas del gobernador. No encontré ninguna que tuviera mi nombre. Saqué seis o siete que, por la letra, podían ser las prometidas, especialmente una que iba dirigida a Basket, impresor del Rey, y otra para una papelería. Llegamos a Londres el 24 de diciembre de 1724. Me dirigí al primer papelero que encontré y le entregué la carta diciendo que era del gobernador Keith.

—No conozco a esa persona- dijo, pero al abrir la carta añadió.

—Ah, ésta es de Riddlesden; acabo de descubrir que es un completo bribón y no quiero tener nada que ver con él ni recibir ninguna carta de su parte.

Así que, poniéndome la carta en la mano, giró sobre sus talones y me dejó para ir a atender a un cliente. Me sorprendió que éstas no fueran las cartas del gobernador. Pero, luego de recordar y comparar circunstancias, comencé a dudar de su sinceridad.

Busqué a mi amigo Denham y lo puse al tanto del problema. Él me explicó el carácter de Keith. Me dijo que no había ni la menor probabilidad de que hubiera escrito alguna carta para mí y que nadie que lo conociera le tenía ni un poco de confianza. Se rió sólo de oír que el gobernador iba a darme una nota de crédito, ya que en ninguna parte se lo daban. Al decirle que estaba preocupado por lo que debería hacer, me aconsejó buscar empleo en lo que sabía hacer.

—Entre los impresores de aquí podrá superarse –me dijo-, y cuando regrese a América podrá establecerse con mayor ventaja.

Ralph y yo éramos amigos inseparables y buscamos alojamiento juntos. Él se encontró con parientes suyos, pero eran muy pobres y no podían ayudarlo. Buscó empleo como actor y como escritor, sin éxito.

Fui inmediatamente a ofrecer mis servicios en la Casa Palmer, en esa época una imprenta famosa, y allí me quedé cerca de un año. Era muy diligente, pero gastaba con Ralph buena parte de mis ganancias en ir a obras de teatro y a otros lugares de diversión. Nos habíamos gastado todos mis ahorros y ya no nos quedaba ni para comer. Ralph parecía haber olvidado completamente a su esposa y a su hijo y yo, gradualmente, me olvidé de mi compromiso con la señorita Read, a quien nunca le escribí más de una carta y, ésta, sólo para decirle que no creía regresar pronto. Éste fue otro de los grandes errores de mi vida y, si me fuera dado vivir otra vez, me gustaría corregirlo. Pero, debido a tanto que gastábamos, nunca acababa de juntar el dinero para mi pasaje.

En la Casa Palmer, trabajaba haciendo el formato para la segunda edición de la *Religión de la Naturaleza*, de Woollaston. Como algunos de sus argumentos no me parecían bien fundados, escribí una pequeña pieza metafísica en la cual los refutaba. El título era *Disertación sobre la libertad y la necesidad, el placer y el dolor*. Se la dediqué a mi amigo Ralph y me puse a imprimir algunos ejemplares. Esto ocasionó que el señor Palmer me considerara un joven con alguna inteligencia, aunque discutió seriamente los principios de mi panfleto, el cual le pareció abominable. Haberlo publicado fue otro error.

Me hice amigo de un tal Wilcox, vendedor de libros, quien tenía su negocio junto a mi casa. Poseía una inmensa colección de libros de segunda mano. Las bibliotecas circulantes todavía no se acostumbraban, pero hicimos un trato y, bajo ciertas condiciones razonables que ya no recuerdo, podía llevarme, leer y luego regresar cualquier libro. Consideré esto como una gran ventaja y le saqué todo el provecho que pude.

Mi panfleto me había ganado la amistad de un tal Lyons, cirujano y autor de un libro que se llamaba *Falibilidad del juicio humano*. Él me concedía mucha importancia, pasaba seguido por mí para conversar sobre estos temas y me invitaba a Los Cuernos, una cervecería de Cheapside. Allí me presentó al doctor Mandeville, autor de *La fábula de las abejas,* y al doctor Pemberton, quien me prometió darme una oportunidad, algún día, de ver a Sir Isaac Newton. Esta perspectiva me producía un deseo enorme, pero nunca pude verla realizada.

En la casa donde vivíamos se alojaba también una muchacha que tenía un hijo pequeño y se dedicaba a vender sombreros; creo que tenía su propio negocio. Era de buena educación, sensible, alegre y de grata conversación. Ralph le leía en las tardes obras de teatro, se hicieron íntimos y, cuando ella se mudó a otro sitio, él se fue tras ella. Vivieron juntos un tiempo, pero él no tenía trabajo y a ella no le alcanzaba el dinero para mantener hijo y marido. Así que Ralph decidió irse de Londres y buscar trabajo de maestro en alguna escuela rural. Confiaba en que se lo darían porque tenía buena letra y sabía mucho de aritmética y contabilidad.

Ciertamente, poco después, me envió una carta diciéndome que estaba enseñándoles a leer y escribir a diez o doce niños, a 6 peniques semanales cada uno, y pidiéndome que me hiciera cargo de la señora T., la sombrerera. Seguía escribiendo un largo poema épico sobre el cual me pedía mis comentarios y observaciones. Yo no se los negaba, pero hacía cuanto podía por desalentarlo de este oficio. Todo fue en vano. Mientras tanto, la señora T., quien a causa de vivir con Ralph había perdido amigos y clientes y con frecuencia pasaba privaciones, empezó a pedirme prestado.

Yo le daba cuanto podía para ayudarle a salir adelante, empezó a gustarme su compañía y como en esta época no tenía restricciones religiosas y me sentí importante ante ella, intenté tomarme algunas familiaridades (otro error), las cuales ella rechazó con justo resentimiento. Se quejó con Ralph de mi conducta y esto abrió una grieta entre nosotros y, cuando él regresó a Londres, me hizo saber que daba por canceladas todas sus obligaciones conmigo. Así que ya no tuve esperanzas de que me pagara lo que le había prestado, lo cual no tenía grandes consecuencias porque, de todos modos, él nunca tenía dinero. Al perder su amistad me sentí liberado de una carga. Empecé a ahorrar y, en busca de mejor empleo dejé al señor Palmer para trabajar en la Casa Watts, una imprenta todavía más grande. Allí me quedé el resto de mi estancia en Londres.

En cuanto entré a trabajar, me puse a imprimir, sintiendo que me hacía falta el ejercicio al que estaba acostumbrado en América, donde el trabajo de prensa se combina con el de hacer formatos. Yo no tomaba más que agua, mientras los otros trabajadores, casi 50, eran grandes bebedores de cerveza.

En una ocasión, bajé por las escaleras cargando una enorme caja de tipos en cada mano, cuando ellos tenían que cargar una sola con las dos manos. Les maravilló ver esto y otras pruebas de que el "americano de agua", como me decían, era más *fuerte* que ellos. Los de la cervecería tenían un mandadero nada más para la cerveza que pudieran ordenar nuestros trabajadores. Mi compañero de prensa se tomaba diario una pinta antes del almuerzo y la comida, otra en la comida, otra más como a las seis de la tarde y otra cuando ya había terminado su jornada. A mí me parecía una costumbre detestable. Pero él suponía que era necesario beber cerveza *fuerte* para estar *fuerte*.

Yo trataba de hacerle ver que la fuerza física proporcionada por la cerveza iba en proporción con la cebada que se disolvía en el agua con que estaba hecha, que había más cebada en un pan de a penique y que, por tanto, si se comía un pan con una pinta de agua, tendría mucha más fuerza que con un cuartillo de cerveza. Sin embargo, siguió bebiendo; cada sábado le descontaban de su salario 4 ó 5 chelines por ese tibio licor. Así es como estos pobres diablos se quedan siempre abajo.

Después de unas semanas, el señor Watts me cambió al taller de formadores y tuve que dejar a mis amigos de la prensa. Los formadores me pidieron una cooperación de bienvenida para comprar cerveza, lo cual me pareció una imposición. El patrón pensó lo mismo y prohibió que yo pagara eso. En consecuencia, nadie me dirigió la palabra en dos o tres semanas y me hicieron toda clase de travesuras: me revolvían las letras, me cambiaban de lugar las páginas, me deshacían el trabajo, etcétera. Finalmente, convencido de que era tonto estar en malos términos con mis compañeros de trabajo, acepté pagar el dinero. Gracias a ello, quedé bien con todos y pronto gané una influencia considerable. Propuse algunos cambios en las reglas del taller y los llevé a cabo contra toda oposición.

Siguiendo mi ejemplo, buena parte de los trabajadores dejó su repugnante almuerzo de cerveza con pan y queso. Descubrimos una fonda donde nos daban una olla grande de caldo con trocitos de pan, mantequilla y pimienta por el precio de una pinta de cerveza. Era un almuerzo más cómodo y más barato y les mantenía la claridad de la cabeza. Los que siguieron embruteciéndose todo el día con cerveza, con frecuencia se quedaban sin crédito en la cervecería y, para poder pagar sus deudas, me pedían prestado a rédito. Mi asistencia puntual (nunca hice San Lunes) me recomendó mucho con el patrón, y mi rapidez para formar hizo que me dieran a mí los trabajos mejor pagados.

Como la casa me quedaba muy lejos, me cambié a otra más cerca. Era un alojamiento en la parte trasera de un almacén de italianos. Cuidaba el edificio una viuda que tenía una hija, una sirvienta y un agente viajero que a veces se encargaba del almacén, pero que no vivía ahí. Después de pedir referencias de mí en mi antigua casa, la viuda me aceptó por la misma renta. Era una viuda anciana, que se había criado como protestante, pero luego su esposo la convirtió al catolicismo. Había vivido entre personas muy distinguidas y se sabía cientos de anécdotas suyas desde los tiempos del rey Carlos II. Padecía gota en las rodillas. Por eso rara vez salía de su cuarto, y a veces se sentía sola. Pero su compañía era tan agradable que, siempre que así lo quería, me quedaba con ella una tarde completa.

Nuestra cena consistía sólo en media anchoa cada uno, con una rebanadita de pan con mantequilla y media pinta de cerveza para los dos. Pero el entretenimiento era escucharla. Como no daba yo problemas en la casa y siempre llegaba a buena hora, no quería que me le fuera. Así que, cuando hablé de cambiarme a un lugar más cerca de mi trabajo, me pidió que no pensara más en eso porque me iba a rebajar dos chelines a la semana. De este modo, me quedé con ella por 1/6 hasta que me fui de Londres.

El señor Dunham había comprado una gran cantidad de bienes y se proponía establecer con ellos un negocio en Filadelfia. Me ofreció trabajo llevando sus libros (cosa que él me enseñaría) haciéndome cargo de su correspondencia y atendiendo el negocio. Añadió que, tan pronto como me familiarizara con el comercio, me ascendería enviándome a las Indias Occidentales con una carga de harina, pan, etcétera, y me ayudaría a conseguir comisiones de otros, con todo lo cual yo ganaría lo suficiente para establecerme decorosamente.

La oferta me agradó porque ya me estaba hartando de Londres, recordé con gusto los felices meses que había pasado en Pensilvania y quise regresar. Por tanto, acepté de inmediato, con un sueldo de cincuenta libras al año, moneda de Pensilvania. Era menos de lo que ganaba como formador, pero las perspectivas eran mejores.

Me despedí del oficio de impresor, supuestamente para siempre, y me dediqué de lleno a mi nuevo trabajo. Iba con el señor Denham a ver a los comerciantes, compraba artículos y cuidaba que los empacaran, buscaba cargadores para que los llevaran al barco, etcétera. Cuando todo estuvo ya a bordo, me tomé unos días de descanso.

Zarpamos de Gravesend el 23 de julio de 1726 y llegamos a Filadelfia el 11 de octubre. Keith ya no era gobernador; había sido sustituido por el mayor Gordon. Lo encontré caminando por las calles como ciudadano común. Pareció avergonzarse un poco al verme, pero pasó de largo sin decir nada. Yo me hubiera sentido igual de avergonzado al ver a la señorita Read si sus amigos, desesperados por la falta de noticias mías no la hubieran persuadido para que se casara con otro, un alfarero que se apellidaba Rogers. Sin embargo no fue feliz con él y pronto lo abandonó, negándose a cohabitar con él o a llevar su apellido, dado que se le había descubierto otra mujer. Era un tipo indigno aunque un excelente artesano, lo cual había hecho que lo aceptaran los amigos de ella. Finalmente se endeudó y tuvo que huir en 1727 ó 1728. Se fue a las Indias Occidentales y murió allá. Keimer había conseguido una caja menor, un local bien provisto de papelería, con muchas fuentes nuevas y muchos ayudantes aunque ninguno bueno, y parecía que no le faltaba trabajo.

El señor Denham rentó un local en la calle Water. Yo atendía diligentemente el negocio, estudiaba las cuentas y, en poco tiempo, me volví un experto en ventas. Nos abonamos juntos para vivir y comer. Él me aconsejaba como un padre porque sinceramente se preocupaba por mí. Yo lo respetaba y lo quería, y así hubiéramos seguido, felizmente, por mucho tiempo.

Pero, a principios de febrero de 1726, justo cuando yo acababa de cumplir los 21 años, caímos enfermos. Lo mío era pleuresía y casi me llevó a la tumba. Sufrí mucho, me hice a la idea de que todo se había acabado y, la verdad, me desilusioné al ver que empezaba a recuperarme. Lamentaba que ahora, tarde o temprano, tendría que pasar otra vez, desde el principio por la misma desagradable experiencia.

Ya no recuerdo cuál fue el padecimiento de él. Lo retuvo mucho tiempo y al final se lo llevó. Como prueba de su amabilidad, me dejó una pequeña herencia en un testamento no escrito. Otra vez tenía para mí el ancho mundo. Los administradores se hicieron cargo del negocio y yo me quedé sin empleo. Mi cuñado Homes, quien estaba entonces en Filadelfia, me aconsejó volver a mi oficio. Y Keimer me tentó con la oferta de un espléndido salario si aceptaba ser gerente de su imprenta, ya que él prefería atender la papelería. Yo no quería tener nada que ver con él, pues me habían llegado malas referencias por parte de su esposa y de sus hijos. Busqué trabajo en el comercio, pero no lo conseguí y finalmente acepté la oferta de Keimer.

Sin embargo, mis servicios fueron disminuyendo en importancia, conforme los aprendices adquirían de mí los conocimientos necesarios. Ésta era la verdadera intención de Keimer: que les enseñara todo lo que sabía y, una vez formado el equipo, ya no fuera necesaria mi presencia.

Un día Keimer me hizo saber que le pesaba pagarme tanto y que yo debía cobrar menos. Poco a poco se volvió menos amable, se puso más y más en la posición del jefe, empezó a encontrarme fallas y se preparó para la ruptura. Yo con un gran acopio de paciencia, seguí adelante. Por fin una nimiedad precipitó la separación. Resulta que había mucho ruido en la calle y yo me asomé por la ventana para ver qué pasaba. Keimer, que estaba fuera, me vio y me gritó con tono irritado que me ocupara de lo mío, agregando a esto palabras de reproche que me fastidiaron todavía más porque me las gritó en público, delante de todos los vecinos que habían salido también a ver qué pasaba y fueron testigos del trato que recibí.

Keimer subió inmediatamente a la imprenta y siguió peleando; los dos nos dijimos palabras fuertes y luego él me dio mi liquidación. Yo le dije que no era necesario, ya que en ese mismo instante me marchaba. Tomé mi sombrero y salí de la imprenta, encargándole a Meredith, uno de los aprendices, que me llevara a mi casa mis cosas personales.

Efectivamente, Meredith llegó en la noche con mis cosas y hablamos del asunto. Me tenía afecto y no hubiera querido que me fuera de la imprenta. Me convenció de no regresar a mi ciudad natal. Me recordó que Keimer debía todo lo que poseía, que sus acreedores empezaban a impacientarse y él mantenía miserable su negocio, vendiendo a veces sin utilidades, sólo para tener dinero líquido. Por lo tanto tenía que fracasar, lo cual dejaría un hueco del que yo podría aprovecharme. Me dijo que su padre tenía una opinión muy alta de mí y seguro pondría dinero para que nos estableciéramos, si yo entraba en sociedad con él. Su contrato con Keimer terminaba en primavera; para entonces ya tendríamos todo lo necesario de Londres.

—Ya sé que no soy buen trabajador –dijo-, si le parece bien, usted pone sus conocimientos y yo el capital y nos vamos a partes iguales.

La proposición sonaba bien y acepté. Su padre se hallaba en la ciudad y estuvo de acuerdo, sobre todo porque vio que yo tenía mucha influencia en su hijo, había logrado apartarlo a tiempo de la bebida y él esperaba que, gracias a mí y una vez entablando una relación tan estrecha, dejaría definitivamente ese miserable hábito. Le di al señor una lista de las cosas necesarias y él se las encargó a un comerciante. Hasta que llegaran se mantendría el secreto. Mientras tanto yo buscaría empleo en la otra imprenta. Pero no encontré vacantes y estuve desempleado varios días. Entonces Keimer, con la perspectiva de que le dieran a imprimir papel moneda de Nueva Jersey, lo cual requeriría tipos que sólo yo podía trabajar, me mandó un mensaje muy amable diciéndome que los viejos amigos no deben distanciarse por unas cuantas palabras, dichas sin pensar, y pidiéndome que regresara. Meredith me convenció de aceptar, ya que esto le daría la oportunidad de aprender más de mí. Regresé y nos llevamos mejor que antes. Nos dieron el trabajo de Nueva Jersey.

Antes de hablar de mi primera aparición pública en los negocios, es conveniente contar un poco cómo me sentía con respecto a la moral y a mis principios, de modo que se vea cuánto influyeron éstos en mi vida futura. Mis padres me habían dado mis primeras impresiones religiosas y, durante toda mi infancia, crecí como disidente.

Pero apenas tendría 15 años cuando, después de dudar sobre varios aspectos que veía refutados en los libros que había leído, empecé a dudar del principio de la revelación. Cayeron en mis manos algunos libros contra el deísmo, los cuales sintetizaban los sermones de Boyle. El efecto que tuvieron en mí fue todo lo contrario de lo que se proponían, ya que los argumentos de los deístas –citados para refutarlos- me parecieron mucho más fuertes que los otros.

Así que me convertí en un deísta completo. Pervertí con mis argumentos a otras personas, especialmente a Collins y a Ralph. Cada uno de ellos, en su momento, me ha hecho daño sin el menor remordimiento y, al recordar la conducta de Keith para conmigo (él era otro librepensador), comencé a sospechar que esta doctrina podía ser verdadera pero no era muy útil.

Según yo, si los atributos de Dios son sabiduría, bondad y poder infinitos, entonces nada puede estar mal en el mundo, y el vicio y la virtud son distinciones huecas, ya que tales cosas no existen. Esta doctrina ya no me parecía tan inteligente como pensaba. Me convencí de que, en las relaciones humanas, *la verdad, la sinceridad y la integridad* son de la mayor importancia si quiere uno ser feliz en la vida, y anoté algunas resoluciones (todavía están en mi diario) con el fin de practicarlas mientras viviera. La revelación no me importaba como tal, pero mantenía la opinión de que, aunque ciertos actos pueden no ser malos porque están prohibidos, o buenos porque los mandan, tal vez estos actos fueron prohibidos porque eran malos para nosotros, o comandados porque eran benéficos en sí, considerando todas las circunstancias.

Esta idea, junto con la mano de la Providencia o algún ángel guardián o situación favorable, me salvó (en los peligrosos años de la juventud en que anduve en circunstancias azarosas, entre extraños y lejos de la guía de mi padre) de cometer *voluntariamente* alguna terrible inmoralidad o injusticia que pudiera esperarse de mi falta de religión. Digo *voluntariamente* porque, en los casos que he relatado, hubo mucho de *inevitabilidad*, dadas mi juventud y mi inexperiencia y la canallez de los otros. Así que tenía un carácter tolerable, lo valoré adecuadamente y decidí conservarlo.

Las cosas de Londres llegaron muy pronto. Hablamos con Keimer y lo dejamos antes que supiera nada. Hallamos una casa en renta cerca del mercado y la tomamos. Para pagar menos renta hicimos un trato con Thomas Godfrey, un vidriero, y su familia: ellos tendrían su negocio con nosotros, nos pagarían buena parte de la renta y además nos aceptarían como abonados. Apenas habíamos sacado las fuentes y armado la prensa cuando George House, un amigo mío, nos trajo a un campesino que había hallado en la calle buscando un impresor. Todo el dinero que teníamos lo habíamos gastado en detalles, y los cinco chelines de este campesino, que fueron nuestro primer fruto y nos llegaron tan oportunamente, me dieron más alegría que cualquier corona que haya ganado desde entonces. La gratitud que sentí hacia House me hizo estar dispuesto a ayudarlo cuando fuera necesario.

Debí mencionar antes que, desde el otoño del año anterior, había conocido a varias personas inteligentes en un club de superación mutua que se llamaba La Junta. Nos reunimos los viernes en la noche. Las reglas que yo puse establecían que cada miembro, cuando fuera su turno, traería uno o más temas para discusión sobre moral, política o filosofía natural, y una vez cada tres meses escribiría y leería en voz alta un ensayo de su autoría sobre cualquier tema.

Nuestros debates se hacían con la moderación de un presidente y debían ser conducidos con un espíritu sincero de búsqueda de la verdad, sin deseo de discutir ni ansia de victoria. Para evitar que nadie se acalorara, después de un tiempo, prohibimos bajo pequeñas multas cualquier oposición directa o expresión categórica.

Entre los miembros, aparte de Meredith y varios otros, estaba William Coleman, quien era como de mi edad y entonces secretario de un comerciante; tenía la cabeza más clara y fría, el mejor corazón y la ética más exacta entre casi todos los hombres que he conocido. Después se convirtió en comerciante notable y en uno de nuestros jueces de provincia. Nuestra amistad se mantuvo sin interrupción durante 40 años, hasta su muerte. Y casi el mismo tiempo duró nuestro club, la mejor escuela de filosofía, moral y política que hubiera en provincia.

Nuestros temas de discusión nos obligaban a leer mucho, de modo que pudiéramos hablar con mayor conocimiento. Así también mejoramos nuestros hábitos de conversación, ya que las reglas buscaban una mejor manera de evitar disgustos. De aquí que el club durara tanto tiempo, pero ya hablaré de él más adelante. Si cuento esto ahora es para mostrar cuánto me convenía el club: cada uno de los miembros me recomendaba profesionalmente. Breitnal, especialmente, nos consiguió que los cuáqueros nos mandaran hacer 40 páginas de su historia; el resto lo haría Keimer. Fue un trabajo excesivamente duro porque el precio era bajo. Era un folio tamaño propatria, en cuadratines, con largas notas. Yo formaba una página diaria y Meredith la imprimía.

Con frecuencia me daban las 11 de la noche, o más tarde, antes de que terminara de preparar el trabajo del día siguiente y es que los otros trabajos que nos conseguían nuestros amigos nos ponían en aprietos. Pero yo estaba tan resuelto a seguir formando una página diaria que una noche, cuando ya había terminado y daba mi jornada por concluida, uno de los formatos se deshizo por accidente. Inmediatamente volví a acomodar las letras y lo hice todo desde el principio antes de irme a dormir. Los vecinos se daban cuenta de lo trabajadores que éramos y esto empezó a darnos prestigio.

—La tenacidad de ese Franklin –escuché que había dicho un día el doctor Baird- es superior a cualquier cosa que yo haya visto: todavía está trabajando cuando yo ya voy de regreso a mi club, y ya está en su imprenta antes que los vecinos se levanten de la cama.

Esto provocó la admiración de los demás, y de pronto nos llegaron ofertas de papelerías.

Menciono lo trabajador que era, aunque parezca que me estoy alabando, para que aquellos que me lean conozcan el valor de esta virtud.

George Webb, un ex aprendiz de Keimer, llegó a pedirnos trabajo. Por el momento no podíamos emplearlo, pero yo, tontamente le confié como un secreto que pensaba fundar un periódico y que entonces tendríamos trabajo para él. Le expliqué que mis esperanzas de éxito se basaban en que el único periódico, impreso por Bradford, era una cosa lastimera, pésimamente dirigido y de ninguna manera ameno, y aun así le dejaba ganancias. Por lo tanto un buen periódico no carecería de aceptación. Le pedí a Webb que no lo mencionara, pero él se lo dijo a Keimer, quien inmediatamente empezó a hacer uno en el cual empleó a Webb. Resentí esto y, para contrarrestarlo, como todavía no podía empezar nuestro periódico, escribí varios artículos de entretenimiento para el de Bradford.

De esta manera, la atención del público se fijó en esta publicación, y la de Keimer, que yo ridiculizaba, pasó a segundo término. Sin embargo, él siguió con su periódico durante varios meses, con sólo 90 suscriptores, y finalmente me lo ofreció por un precio regalado. Lo acepté inmediatamente. Con el tiempo me dio ganancias enormes.

Me doy cuenta de que tiendo a hablar en singular, aunque la sociedad seguía. Tal vez se deba a que, de hecho, yo me hacía cargo de todo el negocio. Meredith no formaba, apenas imprimía y rara vez estaba sobrio. Mis amigos lamentaban mi sociedad con él, pero yo tenía que hacer lo mejor posible.

Los primeros números del periódico fueron totalmente distintos a cualquiera que se hubiera visto antes en la provincia: tenían un tipo más bonito y estaban mejor impresos. Algunas observaciones sobre un artículo mío en torno de la disputa que tenía lugar entre el gobernador Burnet y la Asamblea de Massachussets, impresionaron a la gente principal, ocasionando que se hablara mucho del periódico y del editor y que, en pocas semanas, todos se hubieran suscrito. El número de nuestros suscriptores creció continuamente.

Éste fue uno de los primeros efectos positivos de que hubiera aprendido a escribir artículos. Otro fue que los influyentes de la ciudad, viendo un periódico en manos de alguien que también sabía usar la pluma, creyeron conveniente estimularme y tenerme de su lado. Bradford seguía imprimiendo los votos, las leyes y otras publicaciones oficiales. Había entregado un trabajo de la Asamblea de una manera burda y mal hecha. Nosotros lo reimprimimos correcta y elegantemente y le mandamos una copia a cada miembro. De inmediato notaron la diferencia. Votaron por nosotros para que fuéramos sus impresores el año siguiente.

Pero ahora se presentó otra dificultad que nunca esperé. El padre de Meredith, quien iba a financiar nuestra imprenta, según mis expectativas, había pagado sólo cien libras en efectivo y le quedaba debiendo otras cien al vendedor, quien se puso impaciente y nos demandó. Nosotros pedimos un plazo pero, si no acabábamos de pagar a tiempo, el caso llegaría hasta el juez y todas nuestras ilusiones quedarían arruinadas; nos embargarían la prensa y las letras para venderlas, tal vez a la mitad de su precio.

En este predicamento, dos amigos verdaderos cuya generosidad no he olvidado nunca ni olvidaré mientras pueda recordar algo, vinieron a verme por separado. Sin conocerse uno al otro, sin que yo les hubiera pedido nada, cada uno ofreció prestarme todo el dinero que fuese necesario para poner mi propio negocio, si fuera posible. No les gustaba mi sociedad con Meredith quien, como ellos decían, frecuentemente se dejaba ver borracho por las calles y apostaba en juegos de azar en las cervecerías, para gran desprestigio de nosotros.

Estos dos amigos eran William Coleman y Robert Grace. Les expliqué que no podía plantear una separación mientras los Meredith cumplieran su parte en el acuerdo. Me sentía en deuda con ellos por lo que habían hecho y harían si pudieran. Pero si finalmente no cumplían y nuestra sociedad se disolvía, me sentiría en libertad para aceptar la ayuda de mis amigos. Así dejamos las cosas por un tiempo.

—Tal vez –le dije a mi socio- tu padre esté insatisfecho por la parte que te toca en este negocio y no quiera aportar para ti y para mí lo que preferiría darte a ti solo. Si este es el caso, dímelo, renuncio a mi parte, dejándote todo, y me voy por mi lado.

—No –respondió él-. Mi padre está realmente desilusionado y yo ya no quiero causarle más problemas. Ya veo que no sirvo para este negocio. Me crié como granjero y fue una tontería venir a la ciudad y meterme a aprender un nuevo oficio a los treinta años. Muchos de mis paisanos galeses se están estableciendo en Carolina del Norte, donde es barata la tierra. Me voy a ir con ellos a trabajar en lo mío. Si tú te haces cargo de nuestras deudas, le pagas a mi padre las cien libras que puso, pagas mis pequeñas deudas personales, me das treinta libras y una silla de montar, renuncio a la sociedad y te dejo todo.

Acepté el trato. Inmediatamente lo pusimos por escrito, lo firmamos y lo sellamos. Le di lo que pedía y al poco tiempo él se fue a Carolina.

En cuanto me quedé solo, recurrí a mis dos amigos; para que ninguno se sintiera ofendido, acepté la mitad de cada uno. Pagué las deudas y saqué adelante el negocio con mi nombre, anunciando que la sociedad se había disuelto. Creo que esto fue en el año de 1729.

En esta época la gente estaba exigiendo más papel moneda; sólo había 15 mil libras en existencia y éstas iban a acabarse pronto. Los ricos se oponían a que se hiciera más, ya que estaban en contra de todo papel moneda por miedo de que se devaluara, como había sucedido antes en Nueva Inglaterra. Discutimos este problema en La Junta. Yo estaba a favor de que se imprimieran billetes, persuadido de que los que se hicieron en 1723, habían causado mucho bien aumentando el comercio, el empleo y el número de habitantes en la provincia, Los debates se adueñaron de mí de tal modo que publiqué un panfleto anónimo intitulado *Naturaleza y necesidad del papel moneda.*

La gente del pueblo lo recibió bien, pero a los ricos les disgustó porque aumentaba y fortalecía la demanda de dinero. Y, como no había entre ellos ningún escritor capaz de responder, la oposición se debilitó y perdió en las votaciones. Mis amigos del gobierno, a quienes yo les había hecho algún servicio, decidieron recompensarme mandándome imprimir todos los billetes, lo cual me fue de gran ayuda y me dejó muchas ganancias. Fue una ventaja más, que obtuve gracias a que sabía usar la pluma.

Poco después, gracias a mi amigo Hamilton, me encargaron la impresión de los billetes de New Castle, en Delaware. Fue otro trabajo jugoso o así lo vi yo. Las cosas pequeñas les parecen grandes a quienes se encuentran en circunstancias pequeñas. Hamilton me consiguió imprimir también las leyes y los votos para el gobierno de esa ciudad, lo cual siguió en mis manos mientras estuve en el negocio.

Luego abrí una pequeña papelería, en donde ofrecía calidad y variedad. Whitemash, un formador excelente a quien había conocido en Londres, se vino para acá y llegó a trabajar conmigo con constancia y diligencia. Y yo acepté como aprendiz al hijo de Aquila Rosa. Gradualmente fui pagando la deuda que tenía por la imprenta. A fin de asegurar mi prestigio y mi imagen profesional, me cuidé de no ser sólo en la *realidad* trabajador y frugal, sino también de evitar cualquier *apariencia* de lo contrario. Vestía con sencillez; nunca me veían en lugares de diversión ociosa, nunca iba a pescar ni de cacería.

De hecho, sólo un libro llegaba a apartarme de mi trabajo, pero esto era rara vez y no causaba escándalo. Y, para demostrar que no me sentía por encima de mi oficio, a veces yo mismo acarreaba por las calles, en una carretilla, el papel que había comprado en los almacenes. Apreciado como un joven próspero y trabajador, que pagaba puntualmente lo que compraba, los importadores de papelería iban a ofrecerme sus productos y a proponerme que me traerían libros. Subí rápidamente. Mientras tanto, el negocio de Keimer se fue para abajo. Finalmente tuvo que vender su imprenta para satisfacer a sus acreedores y se fue a Barbados, donde vivió algunos años con mucha pobreza.

Así que la única competencia que me quedaba era Bradford. Pero a él no le interesaba tanto el negocio; era rico y sólo hacía pequeñas impresiones de vez en cuando.

Mientras tanto, seguía abonándome con Godfrey, quien vivía en una parte de mi casa con su esposa y sus hijos y ocupaba un costado del edificio para su vidriería. La esposa empezó a planear casarme con la hija de un pariente suyo y buscó varias oportunidades para reunirnos, hasta que yo comencé a cortejar en serio a la muchacha, quien tenía muchos merecimientos. Sus padres me alentaban invitándome constantemente a cenar y dejándonos solos, hasta que llegó el tiempo de hablar. Les pedí como dote todo el dinero que me faltaba para pagar las deudas de la imprenta, que en esa época no pasaría de cien libras.

La señora Godfrey me dijo que no tenía tanto dinero. Yo le contesté que podía hipotecar su casa. Después de unos días, la respuesta fue que no aprobaban la relación. Habían pedido informes con Bradford y él les dijo que la imprenta no era buen negocio, ya que las letras se gastaban y luego había que comprar más, y que Keimer había fracasado y yo no tardaría en seguirlo. Así que me prohibieron volver a la casa y encerraron a la muchacha. Después la señora Godfrey quiso que volviéramos a vernos, pero yo le dije que ya no quería nada con esa familia. Los Godfrey se sintieron ofendidos y se cambiaron de casa, dejándome todo el edificio para mi solo. Decidí que ya no lo compartiría con nadie.

Sin embargo, el asunto me había puesto a pensar en el matrimonio, miré a mi alrededor y traté de conocer a alguien en otro lugar, pero pronto me di cuenta de que, como el negocio de impresor se tiene por pobre, no podría esperar dinero de una esposa, a menos que fuera de una que no tuviera nada más de atractivo. Mientras tanto, esa pasión de la juventud, difícil de gobernar, me había llevado a relaciones con mujeres bajas que se cruzaban en mi camino, las cuales me costaban algún dinero y muchas inconveniencias, además de un riesgo constante para mi salud, el de esa enfermedad que temía entre todas las cosas y de la cual, por pura buena suerte, me escapé.

Como vecino y viejo conocido, seguía teniendo contacto con la familia de la señorita Read. Todos me tenía en muy buen concepto desde la época en que me hospedé en su casa. Con frecuencia me invitaban a visitarlos y me pedían consejos sobre sus problemas. Me daba lástima la situación de la pobre señorita Read, quien generalmente estaba deprimida, rara vez alegre y evitaba la compañía. Yo consideraba que mi inconsistencia, cuando estuve en Londres, había sido en alto grado la causante de su desdicha. Aunque la madre era tan buena que se echaba más la culpa a sí misma que a mí, ya que se había opuesto a nuestro matrimonio antes de que yo me fuera y luego, durante mi ausencia, convenció a su hija de que se casara.

Nuestro cariño de antes revivió, pero ahora había nuevas objeciones para que nos uniéramos. El matrimonio de ella se consideraba inválido, ya que el marido tenía una esposa todavía viva en Inglaterra. Pero esto no podía probarse fácilmente debido a la distancia. Y, aunque se dijo que él había muerto, no había dejado muchas deudas que su sucesor debería pagar.

Sin embargo, a pesar de todas estas dificultades, nos aventuramos y la tomé por esposa el 1° de septiembre de 1730. No se presentó ninguno de los inconvenientes que habíamos temido. Ella demostró ser una compañera buena y fiel, me ayudaba a atender el negocio, prosperamos juntos y siempre hemos tratado de hacernos felices uno al otro. Así corregí, tan bien como pude, aquel gran error de mi vida.

En esta época puse en marcha mi primer proyecto de carácter público: una biblioteca para suscriptores. Hice los trámites necesarios y, con ayuda de mis amigos de La Junta, conseguí 50 suscriptores a 40 chelines cada uno para empezar a diez chelines al año durante 50 años. Después los lectores aumentaron a 100. Ésta fue la madre de todas las bibliotecas para suscriptores de Norteamérica, que hoy son tan numerosas. Actualmente, es una institución muy grande y sigue creciendo. Estas bibliotecas han mejorado la conversación en general de los americanos, han hecho a nuestros comerciantes y agricultores comunes, tan inteligentes como la mayoría de las personas educadas de otros países, y, probablemente, han contribuido en alguna medida a la fuerza con que las Colonias han defendido sus privilegios.

(Hasta aquí fue escrito con la intención expresada al principio. Lo que sigue lo escribí muchos años después. La Guerra de Independencia causó la interrupción.)

CAPITULO IV

El líder y estadista –Passy, 1784

No sé si existe algún relato de los medios a que recurrí para fundar la Biblioteca Pública de Filadelfia, que de un pequeño edificio ha llegado a ser tan grande. Empezaré pues con el recuento de esto.

Por la época en que me establecí en Pensilvania no había ninguna librería en ninguna de las colonias al sur de Boston. En Nueva York y en Filadelfia, los impresores eran en realidad papeleros: vendían papel, calendarios, canciones y algunos libros comunes de escuela.

Quienes amaban la lectura se veían obligados a encargar sus libros a Inglaterra. De los miembros de La Junta, todos teníamos unos cuantos. Les propuse que los trajéramos al club. Así se hizo y por un tiempo nos tuvo satisfechos. Al ver las ventajas de esta pequeña colección, pensé que podríamos conseguir libros más de interés general si creábamos una biblioteca pública para suscriptores. Hice un esquema del plan y de las reglas que serían necesarias y le encargué a un notario público, el señor Charles Brockden, que lo pusiera todo en forma de artículos, como un contrato para ser firmado. En éste, cada suscriptor se comprometía a aportar cierta suma para la primera compra de libros y una contribución anual para aumentar la colección.

Tan raros eran los lectores de Filadelfia en esa época, y tan pobres la mayoría, que me costó un gran trabajo hallar más de 50 personas dispuestas a pagar por esto 40 chelines cada uno y otros 10 anualmente. Con sólo esto empezamos. Los libros tuvieron que importarse. La biblioteca se abría un día a la semana para prestarlos a los lectores, quienes se comprometían a pagar el doble del valor de cualquiera que no entregasen en buen estado.

Pronto se vio lo útil de esta institución que fue imitada en otros pueblos y otras provincias; las bibliotecas aumentaron con donaciones; la lectura se puso de moda y nuestro pueblo, que no tenía diversiones públicas que lo apartaran del estudio, se familiarizó más con los libros. En unos años, los visitantes extranjeros comenzaron a advertir que nuestro pueblo estaba más instruido y era más inteligente que los de otros países.

Las dudas y objeciones con que me encontré al reclutar suscriptores, me hicieron descubrir la inconveniencia de presentarse uno mismo como autor de cualquier proyecto útil que pudiera elevar su reputación por encima de sus prójimos. Por lo tanto, hasta donde fue posible, me puse fuera de vista y dije que era idea de "un grupo de amigos", quienes me habían pedido que la promoviera entre los amantes de la lectura.

De esta manera, el asunto avanzó con más fluidez y, desde entonces, recurro al mismo procedimiento; en vista de mis frecuentes éxitos, lo recomiendo mucho. Es un pequeño sacrificio de la vanidad que después nos recompensa con creces. Si no queda claro a quien corresponde el mérito, alguien más vano se sentirá tentado a reclamarlo, pero entonces la Envidia se encargará de hacer justicia: arrancará las plumas usurpadas y las devolverá a su verdadero dueño.

La biblioteca me proporcionó los medios para un estudio constante, al cual reservé una o dos horas al día. Así, en alguna medida, suplí la falta de educación académica que mi padre hubiera querido para mí. La lectura era la única distracción que me permitía. No gastaba el tiempo en tabernas ni en juegos ni en fruslerías de ninguna clase. Y en el trabajo, mi tesón se mantuvo tan infatigable como era necesario. Tenía la deuda de la imprenta, una familia creciente que necesitaría educación y, además de todo, debía competir con dos rivales que se habían establecido en la ciudad antes que yo.

Sin embargo, la vida fue cada día más fácil para mí: conservaba mis hábitos de frugalidad. Y mi padre, entre las enseñanzas que me dio cuando yo era niño, frecuentemente repetía este proverbio del rey Salomón: "¿Has visto hombre solícito en su trabajo? Delante de los reyes estará; no estará delante de los de baja condición." Desde entonces considero que ser trabajador es la manera de adquirir riqueza y distinción; esto me estimulaba, aunque nunca creí que estaría, literalmente, delante de reyes. Sin embargo, así ha ocurrido: he estado delante de cinco reyes e, incluso he tenido el honor de sentarme a la mesa con uno, el rey de Dinamarca.

Tenemos un proverbio que dice: "El que ha de prosperar, esposa debe buscar." Fui afortunado de encontrarme una tan dispuesta al trabajo y a la frugalidad como yo mismo. Me ayudaba con gusto en el negocio, doblando y cosiendo libros, despachando, haciendo las compras necesarias, etcétera. No teníamos sirvientes inútiles, nuestra comida era totalmente simple y nuestros muebles de los más baratos. Mi almuerzo, por ejemplo, fue durante mucho tiempo leche y pan, lo cual consumía en trastes de barro de a dos peniques y con cucharas de peltre. Pero cómo entra el lujo en las familias a pesar de los principios.

Una mañana, a la hora de almorzar, encontré en mi mesa un plato de porcelana y una cuchara de plata. Mi esposa los había comprado sin mi conocimiento y le costaron la enorme suma de 23 chelines. No tenía otra excusa ni disculpa más que ella pensó que su marido merecía una cuchara y un plato como los de cualquiera de los vecinos. Fue la primera vez que plata y porcelana aparecieron en nuestra casa; con el paso de los años y a medida que nos hicimos ricos, el valor de nuestra vajilla aumentó hasta varios cientos de libras.

Me había educado como presbiteriano, pero algunos dogmas de esta denominación –el de los decretos eternos de Dios, el de la elección y el de la reprobación– me parecían ininteligibles y otros dudosos, así que tempranamente me ausenté de las reuniones públicas de la secta (mi día de estudio era el domingo). Sin embargo, nunca viví sin principios religiosos; nunca dudé, por ejemplo, de la existencia de la deidad, que había creado el mundo y lo gobernaba con su Providencia, que el servicio más aceptable para Dios es hacerle bien al prójimo, que el alma es inmortal, que el crimen es castigado y la virtud recompensada en este mundo o en el otro.

Estos puntos me parecían los esenciales de cualquier religión y, como eran observados en todas las religiones de nuestro país, yo las respetaba todas. Este respeto por todos me llevaba a evitar cualquier comentario que pudiera afectar la opinión que una persona tenía de su religión. Y como en nuestra provincia había cada vez más habitantes y continuamente se necesitaban nuevos lugares de culto, los cuales se construían por cooperación voluntaria, nunca me negué a ayudarles, cualquiera que fuese la religión.

Aunque rara vez asistía a algún servicio religioso, estaba de acuerdo en que era conveniente y útil, cuando se conducía con rectitud, y siempre daba mi cuota anual para la única iglesia presbiteriana que teníamos en Filadelfia. El ministro de ésta me visitaba a veces como amigo y me insistía en que fuera a sus servicios; yo lo hacía de vez en cuando, en una ocasión hasta cinco domingos consecutivos. Habría seguido yendo, porque me parecía un buen predicador, pero sus sermones eran casi siempre polémicos, o bien explicaciones de las peculiares doctrinas de nuestra secta, y todos me parecían áridos y carentes de interés. No eran edificantes, ya que no inculcaba ni se reforzaba un solo principio moral, y parecían más encaminados a hacernos presbiterianos que buenos ciudadanos. No fui más a la iglesia.

Fue más o menos en esta época cuando concebí el arduo y audaz proyecto de conquistar la perfección moral. Quería vivir sin cometer ninguna falta en ningún momento. Lo conseguiría ya fuese por inclinación natural, costumbre o buenas compañías que me condujeran a ello. Como ya sabía –o creía saber– lo que estaba bien y lo que estaba mal, no me explicaba por qué no podría hacer siempre lo primero y evitar lo segundo. Pero pronto me di cuenta de que había emprendido una tarea mucho más difícil de lo imaginado.

Mientras mi atención estaba puesta en defenderme de una falta, otra me sorprendía. El hábito tomaba ventaja de la distracción. La inclinación resultaba a veces muy fuerte para la razón. Finalmente, saqué en conclusión que la pura convicción especulativa de querer ser por completo virtuoso no era suficiente para evitar el desliz; hay que romper los viejos hábitos y adquirir otros nuevos antes de poder confiar en una rectitud de conducta constante y uniforme. Con este fin, puse en práctica el método siguiente:

En las diferentes enumeraciones de virtudes morales que había encontrado en mis lecturas, el catálogo era más o menos abundante, según los distintos autores incluyeran más o menos ideas bajo el mismo nombre. La templanza, por ejemplo, aparecía limitada por algunos a la comida y la bebida, mientras que para otros se extendía a la moderación de cualquier otro placer, apetito, inclinación, pasión corporal o mental, y llegaba a abarcar la avaricia y la ambición. En busca de mayor claridad, resolví preferir el uso de muchos nombres con pocas ideas en cada uno al de pocos nombres con muchas ideas. Incluí, en una lista de trece nombres, todas las virtudes que en esa época me parecían necesarias o deseables. A cada una le anexé un pequeño precepto, el cual expresaba íntegramente el significado que yo le daba.

Los nombres de estas virtudes, junto con sus preceptos, eran los siguientes:

1. **Templanza.** No comas hasta sentirte harto. No bebas hasta la ebriedad.

2. **Silencio.** No hables más que aquello que pudiera beneficiar a otros o a ti mismo. Evita las conversaciones triviales.

3. **Orden.** Ten un lugar para cada una de tus cosas. Ten un momento para cada parte de tu trabajo.

4. **Resolución.** Comprométete a llevar a cabo lo que debes hacer. Haz sin falta lo que te comprometes a llevar a cabo.

5. **Frugalidad.** No gastes más que en lo que pueda hacer el bien a otros o a ti mismo. No desperdicies nada.

6. **Trabajo.** No pierdas el tiempo. Ocúpate siempre en algo útil. Elimina todo acto innecesario.

7. **Sinceridad.** No lastimes a nadie con engaños. Piensa con inocencia y con justicia. Si hablas, hazlo de acuerdo con esto.

8. **Justicia.** No perjudiques a nadie, ni haciéndole daño ni omitiendo lo que es tu deber.

9. **Moderación.** Evita los extremos. No guardes resentimientos tanto tiempo como puedas creer que lo merecen.

10. **Limpieza.** No toleres la falta de limpieza, ni en el cuerpo ni en la ropa ni en la vivienda.

11. **Serenidad.** No te dejes alterar por nimiedades, ni por accidentes comunes o inevitables.

12. **Castidad.** Recurre al acto sexual rara vez, y esto por motivos de salud o descendencia, pero nunca hasta sentirte harto o débil, y sin que llegues a afectar tu propia paz o reputación o la de otra persona.

13. **Humildad.** Imita a Jesús y a Sócrates.

Como mi intención era adquirir el hábito de todas estas virtudes, juzgué que sería mejor no distraerme intentando todo al mismo tiempo. Mejor buscaría dominar una sola cosa y, logrando esto, pasaría a la siguiente, hasta que hubiera terminado con las trece. Y, como la adquisición de unas debería facilitar la de otras, según este criterio, las puse en el orden en que están.

La Templanza primero, puesto que otorga frialdad y claridad mentales, tan necesarias para mantenerse en guardia contra la atracción de los viejos hábitos y la fuerza de las tentaciones perpetuas. Una vez conquistada la Templanza, el Silencio sería más fácil de adquirir.

Mi deseo era ganar en conocimientos al mismo tiempo que mejoraba en virtudes. Y, considerando que en la conversación el conocimiento se consigue más por el oído que por la lengua, decidí abandonar una costumbre que se me estaba pegando; chacotear, hacer juegos de palabras y contar chistes, lo cual me hacía aceptable sólo para la gente superficial. De modo que di al Silencio el segundo lugar. Esperaba que éste y el siguiente –el Orden– me dejarían más tiempo para atender mi proyecto y mis estudios.

La Resolución, una vez convertida en hábito, me mantendría firme en mis intentos para conquistar todas las virtudes subsiguientes. La Frugalidad y el Trabajo me liberarían de deudas, dándome movilidad e independencia, y así me harían más fácil la práctica de la Sinceridad y la Justicia, etcétera.

Me pareció entonces que, para seguir el consejo de oro de Pitágoras, sería necesario hacer un examen diariamente. Con este fin desarrollé el método siguiente.

Hice un pequeño libro en el cual asigné una página para cada una de las virtudes. Tenía siete columnas en tinta roja, una para cada día de la semana, y trece filas también en tinta roja, una para cada virtud. Así marcaba un pequeño círculo por cada falta que hubiera cometido en alguna virtud específica un día específico.

Resolví dedicar una semana de estricta atención a cada una de las virtudes. En la primera semana me mantuve en guardia para no cometer ni la menor ofensa contra la Templanza, dejando las otras virtudes a la intención ordinaria y sólo marcando las faltas del día. Así, si en la primera semana podía tener la fila de la **Templanza** limpia de marcas, suponía que el hábito de esta virtud se había fortalecido tanto y su opuesto se había debilitado tanto que podía aventurarme a la siguiente virtud y, durante la semana que le correspondía, tendría las dos filas limpias de marcas. Procediendo de esta manera, hasta llegar a la última, haría el curso completo en trece semanas y podría hacer cuatro cursos en un año. Y así como el que, teniendo un jardín, no intenta desyerbarlo todo de una sola vez, sino que trabaja parte por parte, así yo tendría (esperanza) el gusto de ver en mi libreta el progreso que iba haciendo, con las filas cada vez más limpias. Después de cierto número de cursos, estaría feliz de tener una libreta limpia.

TEMPLANZA - No comas hasta sentirte harto. No bebas hasta la ebriedad.

	D	L	M	M	J	V	S
Templanza							
Silencio	XX	X		X		X	
Orden	X	X	X		X	X	X
Resolución			X			X	
Frugalidad			X		X		
Trabajo				X			
Sinceridad							
Justicia							
Moderación							
Limpieza							
Serenidad							
Castidad							
Humildad							

Como el precepto del Orden requería dedicarle tiempo a cada parte de mi negocio, mi libreta tenía 24 horas del día.

Empecé este plan de auto examen y seguí con él, con ocasionales interrupciones, por un tiempo. Me sorprendió ver que tenía muchas más faltas de las

que había pensado, pero tuve la satisfacción de ver
cómo disminuían.

Pregunta de la mañana: ¿Qué cosa buena haré este día?	5:00 a.m.	Levantarme, bañarme, comunicarme con el todopoderoso, planear el trabajo del día y tomar la resolución correspondiente. ¿Y el desayuno?
	6:00	
	7:00	
	8:00	Trabajar
	9:00	Leer, revisar mis cuentas y comer.
	10:00	
	11:00	
	12:00 (Medio día)	Trabajar
	1:00 p.m.	
	2:00	Poner las cosas en su lugar, cenar, dedicar tiempo a la música, la diversión o la conversación. Examen del día.
	3:00	
	4:00	
	5:00	
	6:00	Dormir
	7:00	
	9:00	
Pregunta del día: ¿Qué cosa buena he hecho hoy?	10:00	
	11:00	
	12:00	
	1:00	
	2:00	
	3:00	
	4:00	

En esta libreta también tenía escritas afirmaciones que me ayudarán a cimentar aún más estos valores y principios. Entre estas afirmaciones estaba esta cita de Addison:

Insisto; si hay poder sobre la tierra.
(Y de que lo hay toda la naturaleza da testimonio
en voz alta), debe deleitarse en la virtud
y aquél en quien él se deleita debe ser dichoso.

En otra de Cicerón:

O vitae Philosophia Dux!: Virtutum indagatrix,
Expultrixque vitorum! Unus dies bene,
& ex preceptis Tuis actus, peccanti
inmortalitati est anteponendus.

Esta otra de los proverbios de Salomón:

Largura de días está en su mano derecha;
en su izquierda, riquezas y honra.
Sus caminos son caminos deleitosos
y todas sus veredas paz.
(3:16, 17).

Y, como considero a Dios fuente de sabiduría, me pareció correcto y necesario solicitar su ayuda. Con este fin inventé la pequeña oración que sigue para recordarla diariamente.

*¡Oh, Dios poderoso, Padre generoso,
guía misericordioso!*
*Acrecienta en mi esa Sabiduría que revela mis inte-
reses más verdaderos. Fortalece mi Resolución para
llevar a cabo lo que esa Sabiduría me dicte.*
*Acepta, como la única forma a mi alcance que ofrez-
co a tus otros hijos.*

Y a veces también usaba una pequeña oración que
saqué de los poemas de Thomson:

*¡Padre de la luz y de la vida, Dios supremo,
enséñame lo que es bueno, enséñame tu ser!
Sálvame de la tontería, de la vanidad y del vicio,
de cualquier deseo bajo, y haz mi alma llena
de conocimiento, de paz consciente y de virtud
pura, de sagradas, sustanciales
e inmarcesibles bendiciones.*

Después de algún tiempo, ya sólo hacía un curso
cada año y, luego, ya sólo uno en varios años, hasta
que al final lo omití totalmente, ocupado en viajes y
negocios en el extranjero, pero siempre cargué la libreta conmigo.

Mi esquema de Orden fue lo que más trabajo me
costó. No me habían hecho metódico desde temprana edad y, como tenía una memoria excepcionalmente
buena, no recuerdo haber estado consciente de las
inconveniencias que acompañan la falta de método.
Este aspecto me costaba tanto trabajo, mis faltas con

él me disgustaban tanto y era tan poco lo que progresaba, que estuve a punto de darme por vencido y contentarme con un carácter deficiente en este rubro. Me sentía como el hombre que fue a comprar un hacha con mi vecino el herrero y quería que toda estuviera tan brillante como en el filo. El herrero aceptó pulirla a condición de que él le diera vuelta a la rueda. Pero el trabajo resultó muy fatigante. Por fin el hombre tomó su hacha tal como estaba.

—No –le dijo el herrero-, sigue dándole vuelta, sigue. Poco a poco iremos sacándole brillo. Ahorita no más esta pinta.

—Sí –le respondió el hombre-. Pero creo que lo que quiero es un hacha pinta.

Supongo que este habrá sido el caso de muchas personas que, al encontrar dificultades para mejorar y romper viejos hábitos, se han dado por vencidos con la conclusión de que un *hacha pinta era lo que querían*. Algo que pretendía ser la Razón me sugería, una y otra vez, que tan extrema exquisitez sería como ridiculizar la moral y que, si se supiera, me haría ridículo a mí.

Un carácter perfecto traería el inconveniente de provocar envidia y odio; por lo tanto un hombre bueno debería permitirse algunas faltas, para evitar que sus amigos las cometieran. Sinceramente, me sentía incorregible en lo que respecta al Orden, y ahora que ya soy viejo y mi memoria es mala, lo lamento aún más. Pero, en términos generales, aunque nunca llegué a la perfección que tanto ambicionaba, el esfuerzo de intentarlo me hizo un hombre mejor y más feliz de lo que hubiera sido de no haberlo hecho.

Y puede que esté bien informar a mis descendientes que a este pequeño artificio, con la bendición de Dios, debe su antepasado la Felicidad constante que acompañó su vida hasta los 79 años, cuando escribe estas líneas. Los reveses que puedan sobrevenir en lo que falta están en manos de la Providencia. Pero, si llegan, es conveniente reflexionar sobre la felicidad del pasado, lo cual le ayudará a este antepasado suyo a soportarlas con más resignación. A la Templanza debe su larga salud y lo que todavía le queda de una buena constitución.

Al Trabajo y a la Frugalidad, debe haberse hecho tempranamente de una vida cómoda y la adquisición de su fortuna, junto con todo el conocimiento que lo hizo un ciudadano útil y le dio alguna reputación entre los estudiantes. A la Sinceridad y a la Justicia debe la confianza de su país, los honorables cargos que le han sido encomendados. Y a la influencia combinada de todas las virtudes, incluso de la manera imperfecta en que las adquirió, debe lo parejo de su carácter y esa conversación alegre gracias a la cual aún, hasta los más jóvenes, buscan su compañía. Por lo tanto, espero que algunos de mis descendientes sigan el ejemplo y cosechen el beneficio.

Hay que destacar que, aunque mi curso no carecía totalmente de religión, no había en él ninguna de las marcas que distinguen a alguna secta determinada. A propósito las había evitado, pues estaba totalmente convencido de la excelencia y utilidad de mi método y de que puede servir a personas de cualquier religión. Y, como deseaba publicarlo algún día, no quería que hubiera en él nada que pudiera perjudicar en su contra a ninguna secta.

Me propuse escribir un pequeño comentario sobre cada virtud, en el cual mostrara las ventajas de poseerla y las desventajas del vicio correspondiente. El libro se habría llamado *El arte de la virtud*, porque habría mostrado los *medios* y la *manera* de obtener la virtud, lo cual lo habría distinguido de la simple exhortación a ser bueno. Esto sería como lo del hombre de la caridad verbal del apóstol Santiago, quien, sin mostrar a los desnudos y hambrientos cómo o dónde podían obtener ropa y comida, los exhorta a vestirse y a alimentarse.

Pero sucedió que nunca se cumplió mi intención de escribir y publicar este comentario. La atención constante que he debido dar, a los negocios privados en la primera parte de mi vida, y a los asuntos públicos después, me hicieron posponerlo.

En esta obra deseo explicar y reforzar esta doctrina: que las acciones viciosas no hacen daño porque estén prohibidas, sino están prohibidas porque hacen daño, considerando sólo la naturaleza del hombre. Ser virtuoso es la intención de todos, porque deseamos ser felices incluso en este mundo. Siempre ha habido en el mundo mercaderes ricos, nobles y príncipes que han necesitado medios honestos para conducir sus asuntos y, aunque han sido raros, han sido suficientes para convencer a los jóvenes de que la rectitud y la integridad son las cualidades que con más probabilidad hacen la fortuna de un hombre.

Al principio, mi lista de virtudes no contenía más de doce. Pero un cuáquero amigo mío me dijo que la gente me consideraba orgulloso y que este orgullo salía a relucir frecuentemente en mi conversación. Me convenció de esto con algunos ejemplos. Resolví curarme de este vicio o tontería –si era posible- y así añadí la Humildad a mi lista.

No puedo jactarme de mucho éxito en la adquisición de la *realidad* de esta virtud, pero he logrado mucho en cuanto a la *apariencia* de la misma. Convertí en regla evitar toda contradicción directa con respecto a los sentimientos de los otros y toda afirmación tajante de los míos. Incluso, de acuerdo con las antiguas reglas de La Junta, me prohibí el uso de cualquier palabra o expresión que conllevara una opinión fija, tal como "ciertamente", "sin duda", etcétera; y en lugar de ellas adopté "concibo", "entiendo", "me imagino" esto o lo otro, o "de momento me parece así", etcétera.

Cuando alguien afirmaba algo que me parecía un error, yo me negaba el placer de contradecirlo abruptamente o de mostrarle de inmediato lo absurdo de su proposición. Empezaba observando que, en ciertos casos o circunstancias, su opinión podía ser correcta, pero que, en el presente, *me parecía* encontrar una diferencia, etcétera.

Pronto comprobé las ventajas de este cambio de modales. Mis conversaciones fluían con más amenidad. La forma modesta en que hacía mis proposiciones generaba una recepción más pronta y menos contradicciones. Me sentía menos mortificado si cometía algún error y me costaba menos trabajo sacar a otros de sus errores y ponerlos de mi parte cuando yo estaba en lo correcto.

Y este hábito, que al principio significó forzar tanto mi tendencia natural, a la larga se volvió tan fácil y natural en mí que tal vez, en los últimos cincuenta años, nadie ha oído que se me escape alguna expresión dogmática. Y a este hábito (después de la Integridad) debo haber tenido, desde muy pronto, tanto peso en la opinión de mis conciudadanos cuando propuse nuevas instituciones o alteraciones a las antiguas. Era un mal orador, nunca elocuente, sujeto a muchas dudas en la elección de mis palabras, apenas correcto en mi lenguaje y, sin embargo, generalmente, logré llevar adelante mis puntos de vista.

En realidad, tal vez ninguna de nuestras pasiones es tan difícil de dominar como el orgullo. Disfrázalo, lucha contra él, golpéalo, ahógalo, mortifícalo tanto como quieras y seguirá vivo y, una vez y otra, levantará la cabeza para exhibirse. Puedes verlo con frecuencia en este libro porque, incluso cuando considero haberlo vencido ya, puede que esté orgulloso de mi humildad.

CAPÍTULO V

El proceso de autoevaluación nunca termina - Filadelfia, 1788

*H*abía iniciado un proyecto grande y extenso de cuyo objeto quiero dar una explicación. Un esbozo de él se encuentra en los siguientes apuntes, accidentalmente conservado:

Observaciones de mis lecturas de historia en la biblioteca. 9 de mayo de 1731.

- Los grandes problemas del mundo: las guerras, revoluciones, etcétera, son promovidos y se ven afectados por las partes.
- La visión de estas partes se ve determinada por su interés general en el momento, o por lo que les parece serlo.
- Las diferentes visiones de las diferentes partes ocasionan toda la confusión.
- Mientras cada parte defiende un designio general, cada hombre en particular tiene en mente intereses privados.
- Tan pronto como una parte ha triunfado en su objetivo, cada individuo se concentra en su objetivo particular, lo cual obstaculiza a otros, crea divisiones y ocasiona más confusión.
- Pocos funcionarios públicos actúan pensando solamente en el bien de su país, sin importar lo que

pretendan personalmente. Aunque sus acciones produzcan un bien real para su país, consideran que han logrado unir los intereses públicos y los propios y, así, no actúan con un principio de integridad.

- Todavía son menos los funcionarios que actúan pensando en el bien de la humanidad.

- En este momento, me parece que sería muy oportuno crear un Partido de la Virtud, uniendo en un solo cuerpo a todos los hombres virtuosos de todas las naciones. Se conduciría con reglas adecuadas, buenas y sabias, a las cuales los hombres buenos y sabios mostrarían más obediencia que la que la gente común tiene para con las leyes comunes.

- En este momento, creo que cualquiera que intente esto, y esté calificado para ello, no dejará de agradar a Dios ni de alcanzar el éxito.

Dándole vueltas en mi mente a este proyecto, a fin de retomarlo después cuando las circunstancias me dieran el tiempo necesario, apuntaba de vez en cuando los pensamientos que se me ocurrían en relación con él. La mayoría se han perdido, pero encontré uno que hubiera sido la sustancia de mi credo y que contenía los puntos esenciales de cualquier religión, sin arriesgarse a molestar a ninguna. Éstos son los siguientes:

- Existe un Dios que hizo todas las cosas.
- Él gobierna el mundo con su Providencia.
- Su culto ha de celebrarse por medio de la adoración, la oración y el acto de gratitud.

- Pero, de todas, la acción más aceptable para Dios es hacerle el bien al prójimo.
- El alma es inmortal.
- Dios, ciertamente, recompensará la virtud y castigará el vicio aquí o después de aquí.

Según mis ideas de esa época, la Secta debería empezar y extenderse, primero, sólo entre varones jóvenes y solteros. Cada persona iniciada debería no sólo declarar su adopción del credo, sino también ejercitarse en el examen y la práctica de las trece virtudes.

La existencia de tal sociedad se mantendría en secreto hasta que se volviera considerable, a fin de evitar solicitudes de admisión de personas inadecuadas. Sin embargo, los miembros debería buscar, entre sus conocidos, jóvenes sin malicia y de buena disposición, a quienes irían revelando el asunto con prudente cautela. Los miembros se comprometerían a proporcionar consejo, asistencia y apoyo a sus compañeros con el fin de promover sus intereses, negocios y progreso en la vida. Para distinguirnos, adoptaríamos el nombre de *Sociedad de lo Libre y Fácil*. Libre porque, gracias a la práctica y hábito de las Virtudes, nos liberaríamos del vicio, y, gracias a la frugalidad y al trabajo, nos liberaríamos económicamente, ya que las deudas exponen al hombre al confinamiento y a una especie de esclavitud.

Esto es todo lo que recuerdo ahora del proyecto, además de que lo comuniqué parcialmente a dos jóvenes que lo adoptaron con entusiasmo. Pero la estrechez de mis circunstancias de entonces y la necesidad que tenía de estar pegado al negocio provocaron que lo pospusiera. Luego, mis múltiples ocupaciones públicas y privadas me llevaron a seguirlo posponiendo, hasta que ya no tengo fuerzas ni capacidad de acción suficiente para llevarlo a cabo.

Aunque todavía soy de la opinión de que puede hacerse y podría ser muy útil, ya que formaría un gran número de buenos ciudadanos. No me desalentó la aparente magnitud de la empresa, pues siempre he pensado que un hombre con capacidades tolerables puede efectuar grandes cambios y alcanzar grandes metas, si primero se forma un buen plan y, privándose de toda diversión o actividad que lo distraiga, lleva este plan a su ejecución por medio de su estudio y su trabajo.

En 1772 hice la primera edición de mi almanaque firmado como Richard Saunders. Seguí haciéndolo durante cerca de 25 años, ya popularmente conocido como "el almanaque del Pobre Richard". Había tratado de hacerlo tanto útil como divertido y, gracias a ello tuvo tal demanda que me dio a ganar mucho dinero: llegué a vender diez mil ejemplares al año. Al ver que era tan leído –casi ningún barrio de la provincia estaba sin él–, me pareció que sería un vehículo apropiado para llevar algo de cultura a la gente del pueblo, que apenas si compraba otros libros. Así que llené todos los espacios entre los días importantes del calendario con proverbios y sentencias, especialmente los que inculcaban el trabajo y la frugalidad como medios para adquirir riqueza y así asegurar la virtud, porque para un hombre que tiene necesidad es más difícil actuar honestamente: "un costal vacío no se queda parado", para usar uno de los proverbios.

Estos proverbios que contenían la sabiduría de muchas épocas y naciones, estaban reunidos y formaban un texto coherente como prefacio al almanaque, como la arenga de un anciano sabio a la gente que va a oírlo. Destacar así todos estos consejos dispersos causó una gran impresión. El texto, universalmente aprobado, salió en todos los periódicos del continente, fue reimpreso en Inglaterra como cartel, para que la gente lo pegara en sus casas; se hicieron dos traducciones al francés, y el clero y la gente de recursos compraron grandes cantidades para distribuirlas entre los pobres.

En Pensilvania, como desalentaba a la gente a gastar inútilmente en importaciones superfluas, tuvo su parte de influencia en producir esa abundancia de dinero que se observó durante varios años después de la publicación.

Consideraba mi periódico, también, como un medio de difundir la cultura y, en vista de esto, frecuentemente reproducía extractos de "El Espectador" y de escritores morales, y a veces publicaba pequeñas piezas mías escritas para las reuniones de La Junta. Entre éstas había un diálogo socrático dedicado a demostrar que, sin importar sus capacidades y méritos, un vicioso no puede ser propiamente considerado hombre sensato. Otro era un ensayo sobre la negación de uno mismo, demostrando que la virtud no estaba segura hasta que su práctica se volvía habitual y quedaba libre de la oposición de las inclinaciones contrarias.

"A los 63 años de edad"

En 1773 empecé a estudiar idiomas. Pronto llegué a dominar el francés tan bien que podía leer libros fácilmente. Entonces, seguí con el italiano. Un conocido, que también estaba estudiándolo, me tentaba con frecuencia a jugar ajedrez con él. Al ver que esto me quitaba demasiado tiempo del que debía dedicar al estudio, acabé por ya no querer jugar, a menos que el ganador de cada partida pudiera imponerle al otro una tarea: aprenderse de memoria alguna parte de la gramática italiana o hacer una traducción, etcétera. El perdedor se obligaba a hacer estas tareas para antes de la reunión siguiente. Como los dos jugábamos igual, acabamos por aprender el idioma a fuerza de partidas de ajedrez. Después, con un poco de esfuerzo, adquirí también suficiente español como para leer libros.

Luego seguí con el latín.

Después de diez años de no ir a Boston, y como ya tenía una vida más cómoda, decidí ir a visitar a mis parientes. En el camino, pasé por Newport para ver a mi hermano, quien había establecido allí su imprenta. Nuestras antiguas diferencias se habían olvidado y nuestro encuentro fue afectuoso. Estaba cada vez peor de salud y me pidió que, en caso de morir, cosa que veía no muy lejana, me hiciera cargo de su hijo, entonces de sólo diez años, y lo formara en el oficio de la imprenta.

Así lo hice, mandándolo unos años a la escuela antes de iniciarlo en el oficio. Su madre siguió con el negocio hasta que él tuvo edad, y entonces yo lo ayudé dándole unas fuentes nuevas, pues las que tenía estaban ya completamente desgastadas. Así fue como di a mi hermano amplia recompensa por los servicios de que lo privé al abandonarlo tan prematuramente.

En 1736 perdí a uno de mis hijos, un hermoso niño de cuatro años, a causa de la viruela. Durante mucho tiempo lamenté amargamente y todavía lo lamento, que lo inyectaran. Menciono para los padres de familia, que a veces se niegan a aceptar una operación pensando que nunca se perdonarán si su hijo muere a causa de ella. Mi caso demuestra que, de cualquier manera, habría arrepentimiento, por eso debe elegirse lo más seguro.

Mi primer ascenso fue cuando, en 1736, me eligieron secretario de la Asamblea General. Las elecciones se llevaron a cabo ese año sin oposición, pero al año siguiente, cuando me propusieron otra vez, un nuevo miembro dio un largo discurso en mi contra a fin de favorecer a otro candidato. A pesar de eso me eligieron a mí. Esto me resultó tanto más agradable pues, además del sueldo por servicios inmediatos como secretario, el cargo me daba una buena oportunidad de ver por mis intereses entre los miembros, quienes me aseguraban el negocio de imprimir votos, códigos, papel moneda y otros trabajos ocasionales para el público que dejaban excelentes ganancias.

Así que no me gustaba la oposición de este nuevo miembro, un caballero de fortuna y educación, con talentos que probablemente, con el tiempo, le darían gran influencia en la Casa. Y así sucedió. Sin embargo, no quería ganarme su favor siendo servil con él. En lugar de eso recurrí a este otro método: había oído que tenía en su biblioteca un libro muy raro. Le escribí una nota expresándole mi deseo de ver este libro y pidiéndole de favor que me lo prestara por unos días. Él me lo mandó de inmediato y, después de una semana, se lo devolví con otra nota diciéndole que se lo agradecía enormemente. La siguiente vez que nos encontramos en la Casa, me habló (cosa que nunca había hecho) y con gran amabilidad. Y después nos volvimos grandes amigos y nuestra amistad duró hasta su muerte.

Éste es otro ejemplo de la verdad de una vieja máxima que dice: *Aquel que te ha hecho un favor estará más dispuesto a hacerte otro que aquel a quien tú se lo has hecho.* Y demuestra cómo es más redituable eliminar prudentemente que resentir, devolver y continuar enemistades.

En 1737 el coronel Spotswood, fallecido gobernador de Virginia, insatisfecho con la conducta de su diputado en Filadelfia, le quitó a él el cargo y me lo ofreció a mí. Yo lo acepté de inmediato y vi en él grandes ventajas porque, aunque el salario era poco, me facilitaba la correspondencia necesaria para mi periódico; aumentó mis suscriptores y el número de anuncios pagados y así me proporcionó un ingreso considerable. El periódico de mi viejo competidor declinó en forma proporcional y yo quedé satisfecho, sin tener que vengarme de cuando era jefe de correos y trataba de sabotearme.

Mis negocios aumentaban continuamente y la vida era cada vez más cómoda para mí. Mi periódico se había vuelto sumamente rentable, ya que por un tiempo fue el único en ésta y en las provincias vecinas. Comprobé por experiencia la verdad de esa observación que dice: "Después de las primeras cien libras ganar otras cien es más fácil". El dinero es, por su propia naturaleza, prolífico.

En 1742 inventé una estufa abierta, que calentaba mejor las habitaciones y al mismo tiempo ahorraba combustible, ya que el aire frío se calentaba al entrar. Le regalé una de éstas al señor Robert Grace, quien tenía un horno de hierro y podía fundir placas para estas estufas. La demanda de ellas crecía y yo la estimulé con un folleto que se titulaba: *Descripción de las recién inventadas CHIMENEAS PENSILVANIA, donde se explica su construcción y modo de operar, se demuestran sus ventajas sobre cualquier otro método de calentar habitaciones, y se responde a las objeciones que se han hecho en contra de su uso.*

Este folleto tuvo buen efecto. El gobernador Thomas quedó tan complacido con la construcción de la estufa que me ofreció una patente para venderla en exclusividad durante varios años, pero yo la decliné con base en el principio que me ha regido en semejantes ocasiones: *Así como nos beneficiamos de los inventos de otros, debemos alegrarnos, libre y generosamente, con la oportunidad de que un invento nuestro sirva a otros.*

Sin embargo, un herrero de Londres leyó mi folleto, le hizo a la estufa algunos pequeños cambios que más bien entorpecen su funcionamiento, sacó una patente allá y logró hacer cierta fortuna. Y éste no es el único ejemplo de inventos míos que han patentado otros, aunque si es el que más éxito ha tenido. El uso de mis estufas en muchas casas de ésta y de las colonias vecinas ha significado, y sigue significando, un gran ahorro de leña para la gente.

Ya libre de problemas, volví mi atención al proyecto de establecer la Academia. El primer paso fue hacer que se asociara cierto número de amigos activos, de los cuales encontré varios entre los miembros de La Junta. Lo siguiente fue escribir y publicar un folleto titulado *Proposiciones relacionadas con la educación de los jóvenes en Pensilvania.* Lo distribuí gratis entre los principales habitantes y, tan pronto como me pareció que ya estarían preparados por la lectura, promoví una suscripción para la fundación y mantenimiento de una Academia, la cual sería pagada en cuotas anuales durante cinco años.

Me pareció que planteándola de este modo dejaría más dinero, y creo que así fue; si la memoria no me falla, llegó a no menos de cinco mil libras. En la introducción a estas proposiciones declaré que su publicación no era de mi parte, sino de "un caballero con espíritu público", evitando tanto como podía, de acuerdo con mi regla habitual, prestarme a mí mismo como el autor de cualquier proyecto.

La Academia se constituyó formalmente, redactados y firmados los estatutos, rentada la casa, contratados los maestros y abiertas las clases, en 1749. El número de estudiantes aumentó rápidamente y la casa resultó pronto demasiado pequeña. Por lo cual tuvimos que buscar un terreno bien ubicado, con miras a construir, cuando la Providencia nos puso en el camino una casa grande que con sólo unos arreglos nos servía.

Después de una larga serie de debates y negociaciones, no sólo conseguimos el espacio necesario, sino que mucha gente, tanto en las colonias como en Inglaterra, hizo donaciones de dinero y terrenos, así, el proyecto de la Academia dio lugar a la Universidad de Filadelfia. Desde su fundación, hace ya casi cuarenta años, he sido miembro del patronato y he tenido el enorme placer de que un buen número de nuestros jóvenes reciba allí su educación, se distingan por le incremento de sus capacidades y lleguen a ser útiles en cargos públicos y un ornamento de su país.

Cuando me desocupé, como lo menciono arriba, de mis asuntos privados, pude alabarme de que, gracias a la fortuna suficiente aunque moderada que había adquirido, aseguraba, por el resto de mi vida, el tiempo libre necesario para mis estudios. Mandé traer de Inglaterra todos los aparatos del doctor Spence para mostrarlos aquí, y llevé a cabo con gran entusiasmo mis experimentos de electricidad. Pero la gente, que ahora me consideraba un hombre ocioso, pensó utilizar mi tiempo libre para sus propósitos.

De todas partes en el Gobierno me llamaron para encargarme alguna cosa. El gobernador me puso en la Comisión de Paz, la corporación de la ciudad me escogió para el Consejo Común y, finalmente, los ciudadanos me eligieron para representarlos en la Asamblea. Este último cargo me resultó el más agradable, ya que estaba cansado de escuchar debates y, como secretario que era, no poder intervenir.

Era algo tan "entretenido" que me ponía a dibujar cuadros o círculos o cualquier cosa con tal de no aburrirme. Me pareció que poder intervenir aumentaría mis posibilidades de hacer el bien. No negaré que mi ambición se sentía halagada por tantas proposiciones. Habiendo empezado desde tan abajo, todas eran grandes cosas para mí, tanto más gratas cuanto que revelaban la buena opinión que la gente tenía de mí.

Al año siguiente iba a firmarse un tratado con los indios, y el gobernador envió un mensaje a la Casa proponiendo que se nombrara una comisión para este propósito. La Casa eligió al señor Norris y a mí y nos envió a Carlisle, donde nos reunimos con los indios. Como esa gente es extremadamente afecta a emborracharse y, cuando lo hacen, se vuelven desordenados y pendencieros, prohibimos estrictamente cualquier venta de licor.

Cuando ellos se quejaron de esta restricción, les dijimos que, si se mantenían sobrios durante la firma del tratado, les daríamos al terminar todo el ron que quisieran. Prometieron que así lo harían y cumplieron la promesa (porque no podían conseguir alcohol), el tratado se condujo de manera ordenada y concluyó satisfactoriamente para ambas partes. Entonces reclamaron el ron y lo recibieron. Eran casi cien hombres, mujeres y niños y estaban alojados en cabañas temporales a las afueras del pueblo. Ya en la noche, al oír un gran ruido que venía de allá, los comisionados fueron a ver cuál era el problema. Los indios habían hecho una enorme fogata entre las cabañas. Todos estaban borrachos, hombres y mujeres, discutiendo y peleándose, sus cuerpos oscuros, semidesnudos, vistos sólo a la espectral luz de la fogata, corrían unos detrás de otros y se atacaban con leños encendidos entre horribles lamentos, formando una escena que era lo más parecido a nuestras ideas del Infierno que podría imaginarse. Nadie calmó el alboroto. Nos retiramos a nuestras habitaciones.

A medianoche, varios indios llegaron vociferando a nuestra puerta y exigieron más ron. Al día siguiente, reconociendo que se habían portado mal molestándonos tanto, enviaron a disculparse a sus ancianos consejeros. El orador aceptó la falta pero le echó la culpa al ron, y luego trató de disculpar al ron diciendo:

—El Gran Espíritu que creó todo, hizo todas las cosas para algún uso específico, y a cada cosa debe dársele el uso para el que fue creado. Cuando Él creó el ron, dijo: "Sea para que los indios se emborrachen con él", y así debe ser.

CAPÍTULO VI

El camino
a la riqueza

$\mathcal{A}$mable Lector, he escuchado que nada le da a un autor tanto placer como oír sus obras respetuosamente citadas por otros autores cultos. Pocas veces he disfrutado de este placer. He sido, si puedo decirlo sin vanidad, un eminente autor de almanaques anuales durante ya un cuarto de siglo y mis hermanos de letras por razones que desconozco, nunca han sido generosos en sus aplausos y ningún otro autor me ha tomado en cuenta. Así que, si mis escritos no me hubieran producido sólidas ganancias, la falta de elogios me habría desalentado completamente.

A la larga he concluido que el pueblo es el mejor juez de mis méritos: ellos compran mis obras y además, en mis correrías, allí donde nadie me conoce, he oído que repiten frecuentemente esto o aquél de mis adagios, citando al final "como dice el pobre Richard". Esto me ha dado alguna satisfacción, pues no sólo muestra que han tomado en cuenta mis consejos, sino también que tiene respeto por mi autoridad. Y reconozco que, para alentar la práctica de repetir y recordar esas sabias frases, a veces me *he citado a mí mismo* con gran solemnidad.

Imagínate entonces cómo me sentí halagado por el incidente que voy a contarte. Viajando a caballo, me detuve en un lugar donde varias personas rodeaban el puesto de un vendedor. Como todavía no empezaba la venta, conversaban sobre lo malo de los tiempos, y uno del grupo llamó a un anciano humilde y de cabellos blancos.

—Padre Abraham, díganos que piensa usted de esta época. ¿No cree que unos impuestos tan altos van a arruinar al país? ¿Cómo vamos a poder pagarlos? ¿Qué nos aconseja usted?

El padre Abraham se puso de pie y respondió:

—Si quieren mi consejo, lo daré brevemente porque *al buen entendedor pocas palabras bastan y muchas palabras no llenan una fanega*, como dice el pobre Richard.

Los demás se unieron al que le pedía su opinión y comenzaron a rodearlo. Él habló como sigue:

—Amigos y vecinos –dijo-, los impuestos son de verdad muy altos y, si los que nos impone el Gobierno fueran los únicos que debemos pagar, podríamos cumplir más fácilmente, pero tenemos muchos otros y mucho más gravosos para algunos de nosotros. Los impuestos que le pagamos a la *Flojera* son del doble; el triple se lo damos al *Orgullo,* y nuestra *Insensatez* nos cobra el cuádruple, y con estos impuestos las autoridades no pueden ayudarnos ni hacernos deducciones. Sin embargo, sigamos buenos consejos y algo se podrá hacer. *Ayúdate, que Dios te ayudará,* como dice el pobre Richard en su almanaque de 1733.

Pasaría por duro un gobierno que grava a su pueblo pidiéndole para su servicio un diez por ciento de su tiempo. Pero la *Flojera* nos quita mucho más, si reconocemos todo el tiempo que gastamos en el *Ocio* absoluto, no haciendo nada, y el que perdemos en tareas y distracciones ociosas, que finalmente son no hacer nada.

La *Flojera* trae enfermedades y acorta la vida. *La flojera, como la herrumbre, consume más rápido de lo que acaba el trabajo, mientras que una llave en uso está siempre brillante,* como dice el pobre Richard.

Y si *amas la vida no desperdicies el tiempo, porque éste es la materia de que está hecha la vida,* como dice el pobre Richard.

¡Cuánto más de lo necesario gastamos en dormir! Olvidamos que *gato dormido no caza ratón* y que *ya habrá en la tumba descanso suficiente,* como dice el pobre Richard.

Si, entre todas las cosas, el tiempo es la más preciosa, entonces, como dice el pobre Richard, *desperdiciar el tiempo es el más grande de los despilfarros,* ya que, como él muchas veces insiste, *tiempo perdido no se recupera jamás.* Así que hay que estar despiertos y estar haciendo algo y estar haciéndolo con utilidad.

Con diligencia haremos más con menos preocupación. *La flojera hace todo difícil, pero las ganas de trabajar lo facilitan,* como dice el pobre Richard, y *el que tarde se levanta, todo el día andará corriendo y al llegar la noche mal habrá terminado su trabajo.*

Porque *la flojera viaja tan despacio que pronto la pobreza la alcanza*, como leemos en el almanaque del pobre Richard, quien añade: *Maneja tu negocio, no dejes que él te maneje, y temprano acostarse y temprano levantarse hace a un hombre sano, rico y sabio.*

Esto es lo que significa *desear y esperar* buenos tiempos. Podemos hacer mejores los tiempos si nos despabilamos. Para trabajar *no se necesitan buenos deseos*, como dice el pobre Richard, *y el que vive de la esperanza morirá en ayunas. No hay ganancia sin esfuerzo, así que ayuden fuerzas, que no tengo tierras y, si las tengo, que estén hábilmente trabajadas.*

Y, como también observa el pobre Richard, *el que tiene un oficio tiene una hacienda y el que tiene una vocación, tiene un oficio de honor y ganancia.* Pero el *oficio* hay que ejercerlo y la *vocación* seguirla, o ni la *hacienda* ni el *oficio* nos van a dar para pagar impuestos.

El que es trabajador nunca se muere de hambre. Como dice el pobre Richard, *a la casa del hombre trabajador se asomará el hambre pero no se atreve a entrar.* Ni el cobrador ni el embargador entran, porque *el trabajo paga sus deudas mientras la desesperación las aumenta.*

No importa que no te hayas encontrado ningún tesoro ni algún pariente te haya dejado herencia: *La diligencia es la madre de la buena suerte*, como dice el pobre Richard, *y Dios le da al trabajo todas las cosas.* Así que *ara hondo mientras los flojos duermen y tendrás trigo para ti y para venderles.*

Trabaja hoy todo lo que puedas, porque mañana no sabes si algo te estorbará. Esto hace al pobre Richard decir *un hoy vale dos mañanas*, y más aún: *no dejes para mañana lo que puedas hacer hoy*. Si fueras sirviente, ¿no te avergonzaría que tu patrón te encontrara ocioso? Eres tu propio patrón, *avergüénzate de sorprenderte ocioso* como dice el pobre Richard. Cuando hay tanto que hacer por ti mismo, por tu familia y por tu país, levántate al asomarse el día. *Que el sol no mire para abajo y diga: aquí está este dormido sin pena ni gloria.*

Toma tus herramientas. Recuerda que *gato con guantes no atrapa ratón,* como dice el pobre Richard. Es cierto que hay mucho que hacer y tal vez seas débil de brazos, pero aplícate con constancia y verás grandes resultados: *Una gota constante perfora la roca más dura, y con paciente diligencia el ratón corta un cable y pequeños hachazos tumban robles,* como dice el pobre Richard en su almanaque ya no recuerdo de qué año.

Seguramente algunos de ustedes dirán: ¿No debe uno ganarse algún descanso? Te diré, amigo, lo que opina el pobre Richard: *Emplea bien tu tiempo si quieres ganarte el descanso, y si no estás seguro de un minuto no desperdicies una hora.* El descanso se lo gana el hombre diligente pero no el flojo. ¿Crees que la flojera te va a dar más comodidad que el trabajo? No, porque como dice el pobre Richard, *Los problemas nacen del ocio.* Y por último, *huye de los placeres y los placeres te seguirán.*

Hasta aquí en cuanto al trabajo, amigos, pero a esto hay que agregar la frugalidad si queremos que nuestros esfuerzos tengan éxito. *Una cocina gorda hace una voluntad flaca.* Como dice el pobre Richard. *Y si quieres hacerte rico, piensa en ahorrar tanto como en trabajar.*

Si las Indias no hicieron rica a España, fue porque sus gastos eran mayores que sus ingresos. Así que despídete de tus tonterías caras y no tendrás que quejarte tanto de lo duro de la época, de los impuestos ni de la carga de la familia. Como dice el pobre Richard: *Mujeres y vino, juego y engaño hacen pequeña la riqueza y grande la necesidad.* Y más aún, *lo que mantiene un vicio cría dos hijos.*

Tal vez pienses que no hay ningún mal en un poco de té, un poco de ponche de vez en cuando, una alimentación un poco más cara, ropa un poco más fina y un poco de diversión de tiempo en tiempo. Pero recuerda lo que dice el pobre Richard: *Una pequeña gotera hunde una gran galera.* Y más aún, *los tontos hacen fiestas para que los listos coman.*

El anciano terminó su arenga. La gente lo escuchó lo aprobó y de inmediato puso en práctica lo contrario. Exactamente como si hubieran escuchado un sermón, porque en cuanto empezó la venta se gastaron imprudentemente lo que llevaban, no obstante su miedo a los impuestos. Me di cuenta de que este hombre había estudiado cuidadosamente mis almanaques, dirigiendo todo lo que yo había escrito sobre estos temas durante veinticinco años.

La constante mención que hacía de mi nombre habría aburrido a cualquier otro, pero mi vanidad estaba maravillosamente halagada por esto, aunque estaba consciente de que no me pertenecía ni la décima parte de la sabiduría que se me adjudicaba.

El mérito era de la compilación que yo había hecho de frases de todas las épocas y naciones. Resolví ser mejor gracias al eco de estas palabras y, aunque al principio había decidido comprarme tela para una chaqueta nueva, me alejé decidido a seguir usando la vieja un poco más.

Lector, si haces lo mismo, tus ganancias serán tan grandes como las mías.

Tu servidor,

Benjamín Franklin

ÍNDICE